Comenta [illegible]
El despertar de Lázaro

Joanna Weaver lo ha hecho otra vez. Revelando el profundo amor que Jesús sentía por Lázaro y la vida extraordinaria que regaló a su amigo después de resucitarlo, con maestría le señala al lector una vibrante opción: *¡vida abundante!* Si usted anhela despertar a la ilimitada misericordia, al amor incondicional y al poder sobrenatural de Dios, lea este libro.

—Carol Kent, conferenciante y autora del libro *Between a Rock and a Grace Place*

Cuando me senté a leer *El despertar de Lázaro*, rápidamente me di cuenta que esta no sería una lectura liviana que pronto olvidaría. Necesité un bolígrafo y una libreta, y tiempo para tomar notas. *El despertar de Lázaro* está lleno de verdades y aplicaciones prácticas que transforman la vida. A través de la hermosa enseñanza de Joanna Dios nos llama a una vida resucitada.

—Ángela Thomas, conferenciante y autora del exitoso libro *Do You Know Who I Am?*

El despertar de Lázaro establece sólidamente a Joanna Weaver como una de las mejores escritoras cristianas de nuestro tiempo. Con perspicacia espiritual, convincente y de magnífica factura, este es uno de los mejores libros que he leído durante décadas. Sabemos que ella también está caminando la senda que nos invita a seguir. Creo que *El Despertar de Lázaro* ayudará a muchos más creyentes a descubrir a esta escritora de talento extraordinario.

—Donna Partow, conferenciante y autora del exitoso libro *Becoming a Vessel God Can Use*

El adjetivo que se me quedó grabado después de leer *El despertar de Lázaro* fue: profundo. Las palabras de Joanna Weaver están profundamente arraigadas en las Escrituras, penetraron en lo profundo de mi corazón y me impactaron emocionalmente al llevarme a un mejor entendimiento del amor de Jesús para mí por lo que soy, no por lo que haya hecho. Mis lágrimas humedecieron estas páginas mientras mis preguntas eran respondidas y mis temores revelados. Al final he quedado con una comprensión más profunda de lo que significa ser amada por Dios. Soy bendecida, soy amada, y Jesús significa más para mí ahora que antes.

—Tricia Goyer, autora del libro *Blue Like Play Dough*

Si se preocupa porque es indigno del favor de Dios, o se pregunta por qué él no interviene ni evita su dolor, *El despertar de Lázaro* lo llevará directamente al fondo del amor de Dios por usted. Con calidez, sinceridad y rico discernimiento bíblico, Joanna Weaver lo lleva hábilmente a través de la agonía de la pérdida, y el triunfo de la resurrección, y le revela cómo la amistad con Jesús hace toda la diferencia.

—Jennifer Rotschild, autora de *Lessons I Learned in the Dark* y *Me, Myself, and Lies* y fundadora de WomensMinistry.net

Yo necesitaba leer este libro, y usted también lo necesita. A veces nos quedamos atascados en la enfermedad del pecado, viviendo una vida cristiana que no es ni gloriosa ni libre. Joanna Weaver nos recuerda todo lo que Jesús nos ofrece cuando salimos de la tumba de nuestras propias obras a la vida gozosa que ha creado para nosotros. El Despertar de Lázaro despertó algo en mí.

—Susana Foth Aughtmon, autora de *My Bangs Look Good and Other Lies I Tell Myself*

Joanna Weaver nos ha dado dos libros iluminadores acerca de algunos de los amigos más íntimos de Jesús: María y Marta. *El despertar de Lázaro* completa la trilogía echando una inspiradora mirada a la vida de su hermano Lázaro. Un vistazo más detallado a esta historia le ayudará a usted a acercarse más a Cristo como su íntimo amigo. Se lo recomiendo.

—Ann Spangler, autora del libro *Praying the Names of God*

EL DESPERTAR DE LÁZARO

Encuentre su lugar en el corazón de Dios

Miami, Florida, E.U.A.

El despertar de Lázaro

Publicado por Editorial Patmos,
Miami, FL EUA 33169

Publicado originalmente en inglés por WaterBrook Press, 12265 Oracle Boulevard, Suite 200, Colorado Springs, CO 80921, con el título *Lazarus Awakening*.

Traducido por Rogelio Díaz-Díaz
Diseño de portada por Leonardo Francia
Diseño interior por Interpret The Spirit

ISBN 13: 978-158802-677-4

Categoría: Vida Cristiana

Impreso en Brasil / Printed in Brazil

Contenido

DEDICATORIA

A mi padre Cliff Gustafson,
Apasionado seguidor y amigo de Jesucristo,
Amante de la gente,
Desatador de mortajas.

Papito,
Conocí a Jesús el día que te conocí a ti.
Gracias por vivir tu vida como testimonio para Dios.
Es un honor ser tu hija.

Agradecimientos

Me han dicho que antes de empezar una composición musical, Johann Sebastián Bach escribía las letras J.J. en la parte superior de la partitura, iniciales de las palabras *Jesu Juva*, cuyo significado es "Jesús ayuda". Esas dos palabras han sido también mi oración diaria, y si este libro le ministra a usted, todo se le debe a Jesucristo, mi Ayudador y mi Amigo. Más que nunca antes estoy descubriendo la verdad de estas palabras: "Sin Cristo, nada soy."

Pero también estoy agradecida con una familia que me ha amado y apoyado a través del proceso. A mis queridos padres Cliff y Annette Gustafson. Gracias por interceder diariamente por mí y por este libro y por hacer su casa tan divertida que a veces Josué (mi amado hijito) no quiere dejarla. A mis hijos mayores Jessica, John, Michael, y a Kami, mi preciosa nueva hija. Gracias por los alentadores mensajes de texto y las oraciones por teléfono que han sido mi sostén. Y a mi esposo John: no hay palabras suficientes para decirte lo que significas para mí. No puedo imaginar lo que sería mi vida y dónde estaría sin ti.

A todos mis queridos amigos en la iglesia y a través de la Internet que han orado por este libro, especialmente a Lorene Masters, Donna Partow, Jodi Detrick, Sherrie Zinder y Ángela Howard, muchas gracias. Junto con la de otras personas, su intercesión a veces puso, literalmente, palabras para las páginas de éste libro. Agradecimiento especial a Randy y Kay Creech por su amistad y generosa hospitalidad. Y a Shantel Watson y otros quienes nos suministraron comidas deliciosas y momentos de juego para Josh.

A Wendy Lawton cuyas sabias palabras "es otro libro" refiriéndose a la historia de Lázaro, pusieron en marcha todo el proceso de escribirla. Mereces mi gratitud por haber sido la voz de Dios que habló a mi corazón.

Sin Laura Barrer, Carol Bartley y el maravilloso equipo de Water Brook, este libro no hubiera sido posible. Gracias por su extraordinaria paciencia y por creer en él. Ustedes han sido muy gentiles. Que Dios bendiga muy ricamente a cada uno de ustedes.

A Anne Christian Buchanan, gracias por ayudarme a podar y a dar forma a mis ideas y palabras. Un experimentado editor es un verdadero regalo para un escritor, y qué regalo has sido para mí. Le doy gracias a Dios por ti.

Finalmente, a mi agente Janet Kobobel. Dos son mejores que uno, dice la Biblia, y cómo es eso de cierto en relación con esta escritora. Gracias por ver algo en mí hace muchos años y por caminar a mi lado en cada uno de los pasos del camino. Soy bendecida al tenerte en mi vida.

Cuando Bach terminaba una obra musical, escribía otras letras al final de la página: S. D. G, *Soli Deo Gloria*, que significan "la gloria sea para Dios solamente". Esa también es mi oración para este libro.

Soli Deo Gloria.

Epígrafe

Señor, te suplicamos
que nos hagas realmente vivos.[1]
Serapio de Thmuis (Siglo cuarto)

Estaba entonces enfermo uno llamado Lázaro,
de Betania, la aldea de María y de Marta su hermana
(María, cuyo hermano Lázaro estaba enfermo,
fue la que ungió al Señor con perfume,
y le enjugó los pies con sus cabellos.)
Enviaron, pues, las hermanas para decir a Jesús:
Señor, he aquí el que amas está enfermo.

Juan 11:1-3

1

La historia del tercer seguidor

Es asombroso que tan pequeño espacio pueda hacer tan gran diferencia. Tan solo cuarenta y cinco centímetros, más o menos, eso es todo lo que es necesario mover. Y no obstante, para la mayoría de nosotros, llevar el amor de Dios desde nuestra cabeza a nuestro corazón puede ser la cosa más difícil, aunque la más importante, que hayamos intentado hacer.

"Necesito hablar," me susurró Lisa al oído un día, después del estudio bíblico. Mi amiga, una cristiana comprometida y con un profundo amor por el Señor, tenía lágrimas en sus ojos cuando encontramos un rincón donde pudimos hablar.

"Yo no sé qué es lo que anda mal en mí," me dijo moviendo su cabeza y con la vista fija en el suelo. "Yo podría abordar al peor criminal o drogadicto que viva en la calle y mirándolo a los ojos decirle `Dios te ama´, y decirlo con convicción y creyéndolo con todo mi corazón."

"Pero, Joanna," continuó, tomándome de la mano, "no puedo mirarme en el espejo y convencerme de eso a mí misma."

Sus palabras me eran familiares. Yo sentía la misma terrible desconexión en mis primeros tiempos de caminar con el Señor. Confiando en que él me amaba, pero sin estar nunca realmente segura de ello. Tristemente, he escuchado el mismo problema de desconexión de boca de centenares de mujeres con quienes he hablado en todo el país. Mujeres francas. Talentosas y no tanto. Mujeres cristianas fuertes, profundas en la Palabra y activas en su iglesia, así como de mujeres nuevas en la fe. Los atributos personales o su coeficiente de inteligencia parecen no hacer ninguna diferencia. Ya hayan sido criadas en un hogar lleno de amor o en uno donde imperaba el abuso, tal cosa no parece cambiar lo que un amigo llamó una epidemia entre las

¿QUÉ TIPO DE PADRE TIENE USTED?

Mucha de nuestra comprensión de Dios es moldeada por lo que experimentamos en la vida. Quienes han sufrido abuso o han sido maltratados cuando niños suelen tener conflicto con la idea de Dios como un Padre amoroso, e incluso quienes se han criado en hogares con ambientes sanos tienen imágenes distorsionadas de su Padre celestial. ¿Con cuál de las siguientes imágenes erróneas tiene usted problema?

Padre abusador. Usted no sabe cómo se va a comportar este tipo de padre. ¿Será amable cuando entre o por el contrario le golpeará la cabeza a la primera oportunidad? Su amor lo determina su estado de ánimo. Usted lo evita lo más que puede.

Pero su verdadero Padre es "clemente y misericordioso, lento para la ira, y grande en misericordia" (Salmo 145:8).

Padre negligente. Este papá está demasiado ocupado (o simplemente es demasiado egoísta) para preocuparse por usted. Él tiene asuntos mayores y más importantes que atender que sus insignificantes necesidades. Aunque quizá está presente en su vida, no se puede confiar en él. Usted tiene que valerse por sí mismo.

Pero su verdadero Padre dice: "Mirad las aves del cielo, que no siembran, ni siegan, ni recogen en graneros; y vuestro Padre celestial las alimenta. ¿No valéis vosotros mucho más que ellas?" (Mateo 6:26).

Padre parcializado. Usted sabe que su padre lo ama, o por lo menos eso es lo que usted cree. Pero él parece mostrarles afecto y darles obsequios a todos los demás chicos dejándolo a usted con las sobras y las cosas que los demás dejan. Conclusión: él tiene favoritos y usted no es uno de ellos. Mejor se acostumbra a ello.

Pero su verdadero Padre "no hace acepción de personas." (Romanos 2:11)

Padre exigente. Perfecto en casi todo aspecto, este padre exige que usted sea perfecto también. No importa cuánto se esfuerce usted, para él jamás es suficiente. Aunque hay momentos en que parece orgulloso de usted, esos momentos son pocos y bastante espaciados. Usted lleva siempre un sentimiento de desaprobación.

Pero su verdadero Padre "se compadece de sus hijos, porque él conoce nuestra condición, se acuerda de que somos polvo." (Salmo 103:13-14)

¡Cuan grande es el amor que el Padre nos ha prodigado, que seamos llamados hijos de Dios! ¡Y eso es lo que somos!

Primera Juan 3:1

mujeres cristianas (y entre muchos hombres también): una esterilidad en el corazón a la cual yo llamo duda.

"Cristo me ama, bien lo sé, su palabra me hace ver."[1] Muchos hemos cantado ese canto desde cuando éramos niños. Pero, ¿lo creemos realmente? ¿O el amor de Cristo ha sido más un cuento de hadas que una realidad que hayamos experimentado personalmente en el único lugar en el cual podemos conocerlo realmente con seguridad: nuestro corazón.

Quizá usted piense que por haber aceptado a Cristo a una tierna edad y por haber sido criada en un hogar cristiano lleno de amor, con un padre gentil, que debería estar convencida desde un comienzo que mi Padre celestial me amaba.

Yo. Con todas mis faltas y mis fracasos. Con mi tonta obstinación y mi orgullo.

Pero esas mismas cosas me impidieron conocer el amor de Cristo la mayor parte de mis primeros años de adulta. Había tanto desagradable y tanto que merecía reprobación. ¿Cómo podría amarme Dios?

Por alguna razón llegué a ver a Dios como alguien distante y alejado. En vez de visualizarlo a través del modelo del balanceado amor de mi padre terrenal, tanto incondicional como corrector, veía a mi Padre celestial como un maestro duro y severo, con una regla en la mano paseándose por el salón de clase de mi vida, esperando descubrir cualquier infracción, todas las infracciones. Midiéndome con las que parecían ser normas imposibles de cumplir, y castigándome en ocasiones con su regla cuando yo no obtenía la nota que él esperaba.

Yo suponía que sí, que él me amaba. Por lo menos eso es lo que me habían enseñado. Pero no siempre sentía ese amor. La mayor parte de mi vida la vivía temerosa de su regla. ¿Quién podía saber cuándo su juicio haría sentir su desaprobación dejando una marca desagradable en mi corazón y en mi alma?

Como resultado, viví las primeras tres décadas de mi vida como una adolescente insegura, deshojando margaritas sin dejar de admirar su belleza. ¿Me quiere? ¿No me quiere? Repetía inconcientemente, arrancando uno y otro pétalo mientras confrontaba mi comportamiento y mis actitudes con lo que la Biblia decía que debían ser.

Participaba en reuniones extraordinarias en la iglesia y disfrutaba de dulces momentos en el santuario. ¡Ah, qué dulzura! Me sentía segura en su amor. Pero en la vida real no disfrutaba de dulces respuestas. Me sentía perdida y solitaria. Infortunadamente todo lo que logré de estar cuestionando constantemente el amor de Dios fue un corazón temeroso y un montón de espinas y pétalos marchitos. Mi excesivo y celoso auto análisis nunca me produjo la paz que anhelaba.

Porque la paz para la cual fuimos creados usted y yo no se obtiene deshojando margaritas. Se logra solamente mediante una relación viva con un Dios amoroso.

LA HISTORIA DEL TERCER SEGUIDOR

Nunca pensé escribir una trilogía sobre María, Marta y Lázaro, los hermanos de la aldea de Betania de los cuales nos cuentan los evangelios de Lucas y Juan. De hecho cuando escribí *Como tener un corazón de María en un mundo de Marta,* estaba bastante segura que este era el único libro que podría escribirse sobre esa historia. Pero Dios me sorprendió seis años más tarde y nació *Un espíritu como el de María.*

Jamás cruzó por mi mente la idea que podría haber un tercer libro hasta cuando discutí una interesante premisa con unos amigos que son escritores. Se trataba de una enseñanza que esperaba encajar dentro de *Un espíritu como el de María* pero nunca encontré el espacio para incluirla.

"Todos sabemos que Jesús amaba a María," les dije a mis amigos. "Después de todo, miren cómo lo adoraba. Incluso podemos comprender que él amaba a Marta. Observen cómo le servía. Pero, ¿qué hay de nosotros los que no sabemos cuál es nuestro lugar en el corazón de Dios?"

La pregunta quedó en el aire mientras yo continuaba.

"Lo único importante que hizo Lázaro fue morirse. No obstante, cuando María y Marta enviaron a contarle a Jesús de su enfermedad, el recado fue: `Señor, el que amas está enfermo´."

De alguna manera mis palabras tenían un peso extra mientras flotaban en el ambiente. Una importancia extra. Incluso yo misma sentí el impacto.

Tras unos instantes mi amiga Wendy rompió el silencio: "Esa parte de la historia no encajó en el libro porque es otro libro."

No puedo explicar de manera adecuada lo que ocurrió cuando ella dijo esas palabras, excepto que fue como si una inmensa campana hubiera resonado en mi alma. Su reverberación envió ondas sonoras a través de todo mi cuerpo mientras yo trataba de cambiar de tema.

El punto es que yo no quería escribir acerca de Lázaro. Deseaba escribir un libro diferente. Estaba lista para avanzar en la exploración de otros temas.

Pero Dios no me lo permitió. Por eso usted tiene este libro en sus manos.

UN LUGAR LLAMADO HOGAR

Conocimos por primera vez la familia de Betania en Lucas 10:38-42. O mejor dicho, conocimos parte de la familia: las seguidoras de Jesús llamadas Marta y María.

Quizá usted esté familiarizado con la historia que Lucas nos cuenta. Jesús iba camino a Jerusalén para la celebración de una de las grandes fiestas judías cuando Marta se acercó y lo invitó a cenar. Aunque Marta era la que le abrió la casa, fue su hermana María la que le abrió el corazón. Para hacer corta la historia: María adoró; Marta se quejó; Jesús hizo una reprensión y hubo vidas transformadas.[2]

Es extraño que este relato de Lucas no mencione a Lázaro, hermano de María y Marta. Es posible que no estaba en casa cuando Marta ofreció la cena. Tal vez estaba lejos, ocupado en sus negocios, o quizás estuvo allí todo el tiempo pero en realidad nadie lo notó.

Algunas personas son así; han perfeccionado el arte de la invisibilidad. Se han hecho expertos en permanecer inadvertidos. Van por su camino sin llamar la atención, y cuando los notan, se sienten bastante incómodos.

Por supuesto, yo no tengo manera de saber si esto mismo le ocurría a Lázaro. La Biblia no nos da ninguna información en cuanto a quién era, o cómo era; solamente que vivía en Betania y que tenía dos hermanas. Cuando finalmente lo conocemos, en Juan capítulo 11, la suya es una extraña presentación, porque comienza con una invitación a un funeral.

> Estaba entonces enfermo uno llamado Lázaro, de Betania, la aldea de María y de Marta su hermana. (María, cuyo hermano Lázaro estaba enfermo, fue la que ungió al Señor con perfume, y le enjugó los pies con sus cabellos.) Enviaron, pues, las hermanas para decir a Jesús: Señor, he aquí el que amas está enfermo.
>
> Oyéndolo Jesús, dijo: "Esta enfermedad no es para muerte, sino para la gloria de Dios, para que el Hijo de Dios sea glorificado por ella." Y amaba Jesús a Marta, a su hermana y a Lázaro. Cuando oyó, pues, que estaba enfermo, se quedó dos días más en el lugar donde estaba.
>
> Luego, después de esto, dijo a los discípulos: "Vamos a Judea otra vez..." Vino, pues, Jesús, y halló que hacía ya cuatro días que Lázaro estaba en el sepulcro, y dijo: "¿Dónde le pusisteis?"
>
> Le dijeron: "Señor, ven y ve." Jesús lloró.
>
> Juan 11:1-7, 17, 34-35

Qué historia más tierna. Una historia llena de emoción, tensión y drama. La historia de dos hermanas desgarradas por el dolor y un Salvador que las amaba, pero decidió demorarse.

Desde luego, hay más que eso en la historia, más verdades que descubriremos al recorrer los cuarenta y cuatro versículos que Juan dedica a este relato. Porque la historia de Lázaro es también la historia del más grande milagro de Jesús: despertar a su amigo de la muerte.

(Para leer toda la historia ver el Apéndice A "La historia".)

¿Ha notado usted que cuando Jesús entra en escena, lo que parece ser el fin, raramente lo es? De hecho, casi siempre es un nuevo comienzo.

Pero María y Marta no pensaban en eso en ese momento. Y yo tengo la tendencia a olvidarlo también.

Interrogantes y frustraciones, aflicciones y temores tienden a borrar de la mente el cuadro completo en situaciones como la que vemos en Betania. ¿Qué hacemos cuando Dios no acude en la forma en que esperábamos? ¿Qué debemos sentir cuando lo que es querido a nuestro corazón nos es arrebatado de repente? ¿Cómo reconciliamos el amor de Dios con las frustraciones que enfrentamos en la vida?

Tales preguntas no tienen respuestas fáciles. Sin embargo, creo que en esta historia de los tres amigos de Jesús podemos encontrar pautas que nos ayuden a navegar en lo desconocido y lo trágico cuando encontramos estas situaciones en nuestra propia vida. Claves que nos fortalezcan para vivir en el interín, ese duro intermedio en el que esperamos que Dios actúe, así como discernimiento iluminador que nos estimule a confiar en él cuando parece que no está haciendo nada.

Pero más importante aun, la historia de Lázaro revela la impresionante disponibilidad del amor de Dios si solamente extendemos la mano y lo aceptamos. Aun cuando no lo merecemos. Aun cuando la vida es dura y no entendemos por qué.

"Porque los pensamientos de Dios son más altos que nuestros pensamientos, y sus caminos más altos que los nuestros," nos dice Isaías 55:8-9. Él sabe lo que hace.

Aun cuando no podamos entender sus matemáticas.

El álgebra y yo

La aritmética fue siempre una de mis materias favoritas en la escuela, y en la que lo hacía muy bien. Por supuesto, eso fue en el siglo pasado, antes de que comenzaran a enseñar el álgebra en la educación preescolar. En mi niñez, las únicas ecuaciones que hacían arrugar mi frente de niña de nueve años eran bastante sencillas:

$$2 + 2 = 4$$
$$19 - 7 = 12$$

Desde luego, las matemáticas de los cursos siguientes eran más difíciles. Pero la habilidad con las operaciones básicas de suma y resta que había aprendido en los primeros cursos me ayudaron a resolver con confianza los problemas de multiplicación y división. Para el tiempo en que llegué al sexto grado era bastante eficiente con las complicadas columnas de sumas y había conquistado bastante bien el misterioso mundo de los números fraccionarios. Era un lince en matemáticas.

Pero llegó el octavo grado y con él una breve introducción al álgebra. Todo eso me parecía bastante tonto. ¿A quién le importaba lo que era el factor "y"? ¿Y quién rayos necesitaría saber a qué es igual x + y + z?

Cuando en la primavera mi profesor de secundaria nos hizo un examen clasificatorio para el curso de matemáticas, yo no gasté mucho tiempo tratando de encontrar las respuestas, principalmente porque no tenía idea de cuáles eran, y cuando traté de hacerlo me dolió la cabeza. Entonces, al encontrar un problema difícil en el examen hice lo que siempre me ha dado resultado: buscar un patrón en las respuestas.

Poniendo mi mente un poco en blanco y con mis ojos entrecerrados miraba todos esos óvalos que había sombreado bien con mi lápiz hasta que podía ver un patrón. *Llevo tiempo sin marcar una D.* O, *hay dos B y luego dos C y una A, entonces es obvio que la siguiente tiene que ser otra A.*

Yo era increíble para este ejercicio.

Realmente lo fui. Varias semanas después cuando recibí los resultados del examen me notificaron que había sido ubicada no en el curso elemental de matemáticas, ni siquiera en el de álgebra para principiantes. No. ¡Me clasificaron para álgebra acelerada o intensiva, aunque no tenía idea de lo que estaba haciendo!

Hasta hoy, no lo sé tampoco. Mi poca habilidad para las matemáticas me ha seguido durante toda la edad adulta hasta la época de la crianza de mis hijos. Mis chicos me pueden hacer una pregunta de gramática, hacerme una prueba sobre historia o funcionamiento del gobierno, y generalmente puedo responderles, o por lo menos ayudarlos a encontrar la respuesta. Pero cuando se trata de álgebra, de geometría o de cálculo, o de cualquiera de esas otras clases avanzadas de matemáticas inventadas por algún enfermo o algún Einstein en potencia… bueno, mejor que le pregunten al papá.

Las matemáticas avanzadas siguen siendo para mí un total misterio. Los factores desconocidos parecen algo tan caprichoso. ¿Qué pasa si *z/y* al cuadrado no es igual a nueve? ¿Qué ocurre entonces?

Los factores desconocidos de la vida nos frustran también, y hay suficientes en la historia de Juan 11. ¿Cómo interpretamos la demora de Jesús cuando debió correr presuroso al lado de Lázaro al oír que su amigo estaba enfermo? ¿Cómo reconciliamos el hecho de que hubiera permitido que María y Marta pasaran por tanto dolor cuando pudo haberlo evitado desde el comienzo?

Preguntas difíciles, sin duda. Pero hay en este relato una verdad fundamental que debemos reconocer antes de abocar los asuntos más difíciles.

Jesús *amaba* a Marta, a su hermana y a Lázaro (Juan 11:5, énfasis agregado).

Jesús nos ama a usted y a mí también. Nos ama tal como somos, independientemente de las obras como las de Marta y de la adoración como la de María. Ama incluso a quienes llegan con las manos vacías, sintiéndose muertos interiormente y tal vez un poco atados.

Aunque quizás no entre en nuestros cálculos humanos, la verdad del amor de Dios está en el corazón mismo del evangelio. "Siendo aún pecadores, Cristo murió por nosotros," nos dice Romanos 5:8. Tal vez no logremos cuadrar las cuentas o racionalizar esa gracia tan maravillosa, pero nuestro Padre celestial anhela ayudarnos a encontrar la esencia de esta verdad si simplemente pedimos su ayuda.

El factor Lázaro

Yo siempre le he dicho a mi esposo, John, que él debe morirse antes que yo, principalmente porque no quiero que se case de nuevo con alguna mujer maravillosa y descubra lo que se ha perdido todos estos años. Pero entonces, si él partiera primero, estoy convencida de que yo enfrentaría la ruina financiera en dos meses. Y no es porque él no se haya ocupado bien de nosotros financieramente, sino porque yo, categóricamente, detesto conciliar el movimiento de las cuentas bancarias.

Mi idea de conciliar mis extractos bancarios se reduce a llamar a Rhonda, una dama encantadora que trabaja en nuestro banco. Ella gentilmente me hace saber el saldo cuando quiera que estoy preocupada por saber cuánto tengo.

Sé que esta no es una sabia manera de manejar los asuntos financieros. De hecho, quienes entre mis lectores son Contadores Públicos estarán a punto del desmayo al leer esto, si es que no han hecho ya a un lado este libro. ¡Pero, un momento! Este sistema funciona para mí… la mayoría de las veces.

Muy bien. Confieso que ha habido unos cuantos problemitas en mi sistema, pero estoy por creer que aunque no es un gran método en el mundo natural, quizá sea la única manera de hacer las cosas en lo espiritual.

Después de gastar una gran parte de mi vida procurando hacerlo todo por mí misma, es decir, tratando de asegurarme que lo bueno en mí superara lo malo, no sobregirándome, sino más bien haciendo continuos depósitos en el banco de mi justicia, finalmente me di cuenta que nada de lo que yo hiciera sería suficiente. No importaba lo mucho que me esforzara, vivía bajo el constante peso de mi propia desaprobación. Lo cual, por supuesto, instantáneamente se convertía en el sentir de que Dios también estaba tremendamente frustrado o desilusionado de mí.

"Me ama…no me ama…"

Llevar mis propios registros espirituales jamás agregó otra cosa que condenación y un abrumador sentimiento de desesperanza. Me alegro tanto de que las matemáticas de Dios no son como las mías. Ah, y cómo me regocijo de que él no exige que a mi se me ocurra la respuesta correcta antes de hacerme su hija. Porque cuando yo no podía subir hasta él, Jesús descendió hasta mí. Y mediante su precioso sacrificio de sangre abrió el camino para que yo llegara no sólo hasta su presencia sino directamente al corazón de Dios. "Y todo esto proviene de Dios", leemos en 2 Corintios 5:18-19, "quien

Alcanzados por gracia

Yo agradezco lo que Bono, el cantante principal del grupo U2, tiene que decir acerca de la gracia. "Que Dios, quien creó al universo, esté buscando compañía, una relación real con las personas, es un concepto impactante, pero lo que a mí me mantiene humilde es la diferencia entre Gracia y *karma*."[3]

Bono sigue explicando que la idea del *karma* es una idea central en todas las religiones.

> *Lo que usted genera se vuelve contra usted: ojo por ojo, diente por diente; o en la física, de acuerdo con las leyes físicas, toda acción provoca otra igual, o una acción contraria.*

Para mí es claro que el karma se encuentra en el corazón mismo del universo. De eso estoy absolutamente seguro. No obstante, junto con él viene esta idea llamada Gracia para echarlo todo abajo "No cosechamos lo que sembramos". La Gracia desafía la razón y la lógica. El amor interrumpe, por decirlo así, las consecuencias de sus acciones, lo cual, en mi caso, es ciertamente una muy buena noticia porque he hecho muchas cosas estúpidas... Él no excusa mis errores. Yo acudo a la Gracia, y confío en que Jesús llevó mis pecados en la cruz. Sé quién soy y tengo la esperanza de no tener que depender de mi propia religiosidad.[4]

No hay Dios como tú que perdona la maldad
de quienes son culpables de pecado;
tú no miras el pecado de tu pueblo que ha quedado con vida.
No te enojas para siempre
pues te deleitas siendo misericordioso.
Miqueas 7:18 NCV

nos reconcilió consigo mismo por Cristo... no tomándoles en cuenta a los hombres sus pecados."

Ya no más regla

Creo que no podemos ni imaginar cuan radical parecería el mensaje de gracia de Cristo en el Nuevo Testamento a una gente que durante miles de años estuvo viviendo bajo la Ley. La idea de que debía haber una manera diferente, una manera mejor de acercarse a Dios, era atractiva para algunos judíos, pero para muchos otros resultaba amenazante.

Para quienes constantemente tropezaban con las reglas y las normas establecidas por la elite religiosa, sin lograr alcanzar nunca la medida de la regla de la Ley, la idea de que Dios pudiera amarlos independientemente de lo que hicieran debe haber sido increíblemente liberadora.

Jerarcas judíos que dominaban la Ley se sentían orgullosos de ello, y las palabras de Jesús seguramente constituían una amenaza. El mensaje de

Cristo perforaba su fachada religiosa, revelaba la oscuridad de sus corazones y los volvía locos. En vez de acudir presurosos por la gracia y el perdón que él ofrecía, acudían a la "regla" de la ley, usándola en un momento para justificarse a sí mismos, y esgrimiéndola contra Jesús en el siguiente.*

"Tú vienes de Nazaret," le enrostraban usando la regla, "pero de Nazaret no sale nada bueno." *Esa es una falla tuya.* "¿Comes con los cobradores de impuestos y los pecadores? Eso es peor aún." *Otra falla.* "¿Sanas a los enfermos el día sábado?" preguntaban a gritos esgrimiendo sus normas y sus reglas. *¡Que te corten la cabeza!*

No había lugar para la libertad en la religión de los fariseos y los saduceos. Por ende, no tenían lugar para Cristo. Estaban apegados a la regla. Y aunque Jesús seguía insistiendo en que no vino para abolir la Ley o los Profetas… sino para cumplirla (Mateo 5:17), ellos no escuchaban. Como niños, seguían cantando la misma vieja tonada, aunque una Nueva Canción había sido enviada del cielo.

Lo cual es muy triste, especialmente cuando consideramos que la misma Ley, de la cual ellos eran tan celosos, tenía el propósito de prepararlos para recibir al Mesías y no para que se resistieran a reconocerlo.

Después de todo, Dios estableció su pacto original con Abraham mucho antes de que diera la Ley a Moisés: 430 años, para ser exacto (Gálatas 3:17). El amor del Padre que cobijaba a Abraham y a todos los que vendrían después no tenía condiciones. Se basaba en la aceptación de la gracia por parte del beneficiario, de principio a fin.

Pero Israel se enamoró de la Ley en vez de enamorarse de su Dios. Y nosotros corremos el peligro de hacer lo mismo. Exaltando el cumplimiento de *reglas* como el camino al cielo; aceptando fórmulas para nuestra salvación; adorando nuestra propia fuerza de voluntad en vez de permitir que el poder de Dios obre en nosotros para transformar nuestras vidas.[5]

Tal santidad no funcionó para los judíos ni funcionará para nosotros. Por eso fue que tuvo que venir Jesús.

Gálatas 3:19 nos dice que la ley fue dada originalmente para mostrarle a la gente sus pecados. Pero "fue diseñada para durar solamente hasta la venida del

---

* Permítame decirle cuánto amo a la nación de Israel. Creo con todo el corazón que es el pueblo escogido de Dios y una familia preciosa dentro de la cual yo he sido adoptada. Cuando hablo de la ceguera y del orgullo espiritual de los jerarcas religiosos de los días de Jesús, no es para condenar a los judíos. Más bien veo mi propia tendencia, y la tendencia del Cuerpo de Cristo en nuestros días, de caer en ese orgullo y esa ceguera cuando amamos nuestra "apariencia de piedad" pero "negamos la eficacia de ella" (2 Timoteo 3:5).

niño que fue prometido." Aunque la regla de la Ley nos ayude a mantenernos alineados, nunca se pretendió que nos salvara. Sólo Cristo puede hacerlo. Y no puedo decirle cuánto consuelo le da esa verdad a mi alma.

Nunca olvidaré el día en que le entregué mi *regla* a Jesús. Yo había sido salva desde que era niña, pero pasaron casi treinta años antes de que el mensaje de gracia finalmente hiciera el tránsito de mi cabeza a mi corazón, "liberándome de la ley del pecado y de la muerte" (Romanos 8:2). Cuando la luz de las buenas nuevas penetró finalmente las tinieblas de mi mente auto condenadora, el "perfecto amor" del que habla Primera de Juan 4:18, echó fuera mi inseguridad la cual siempre estuvo arraigada en el temor al castigo.

Cuando finalmente deseché mi orgullo fariseo, experimenté un cambió radical en mi vida. Porque al rendir, al entregar mi regla, la herramienta de comparación que me había causado tal tormento y un sentimiento de separación de Dios, Jesús la tomó de mis manos. Luego, con una mirada de intenso amor, la rompió sobre su rodilla y la convirtió en una cruz, recordándome que él murió para que yo no tuviera que hacerlo.

Que la pena que yo en justicia merecía ya había sido pagada.

Que se ha hecho el camino para que todos los que crean en Jesús puedan no sólo acercarse a él, sino también regresar a casa, al corazón de Dios.

Un momento para ofrecer nuestro corazón

Desde el momento en que Dios tan amablemente hizo explotar en mi alma el concepto de este libro, he elevado a Dios una oración, la oración que el apóstol Pablo hizo por todos los creyentes en Efesios 3:17-19:

> Que arraigados y cimentados en amor, seáis plenamente capaces de comprender con todos los santos cuál sea la anchura, la longitud, la profundidad y la altura, y de conocer el amor de Cristo, que excede a todo conocimiento, para que seáis llenos de toda la plenitud de Dios.

Creo que todo aquello para lo cual fuimos creados, y todo lo que alguna vez hayamos deseado, se encuentra en estos tres versículos. Pero a fin de apropiarnos del amor de Dios, tenemos que renunciar a la obsesión por las fórmulas y las reglas. ¿Cómo lo hacemos? La oración del apóstol revela una clave importante: "Que… seáis plenamente capaces de *comprender…* el amor de Cristo que excede a todo conocimiento" (énfasis agregado).

La maravillosa incongruencia de tal declaración causó un impacto en mí hace varios años. "Señor, ¡un momento! ¿Cómo puedo comprender algo que excede todo conocimiento?" pregunté.

Su respuesta llegó dulce y suave a mi espíritu. *Tienes que dejar de tratar de comprenderlo y comenzar a aceptarlo, Joanna. Tan solo permíteme amarte.*

Porque la realidad es que no importa cuánto nos esforcemos, jamás podremos explicar o merecer tal gracia y tan increíble amor. Ni podemos escapar de él.

Es demasiado *ancho*, nos dice Efesios 3:18. No podemos rodearlo.

Es demasiado *alto*. No podemos estar por encima de él.

Es tan *largo* que nunca podremos ir más allá de él.

Y tan *profundo* que jamás podremos agotarlo.

En resumidas cuentas: usted no puede ir fuera del amor de Dios no importa cuánto trate de hacerlo. Porque él lo busca, lo procura a usted, mi amigo. Tal vez es tiempo de que deje de huir del amor y empiece a correr hacia él.

Aun si a veces parece algo tan demasiado bueno para ser cierto.

Elijamos el amor

Yo no sé por qué Jesús escogió amarme. En realidad no lo sé. Tal vez usted no entienda tampoco por qué él lo eligió a usted. Pero el hecho es que lo hizo. Hasta que decidamos aceptar ese favor maravilloso e inmerecido, me temo que perderemos todo lo que significa una verdadera relación con Cristo.

Cuando mi esposo me propuso matrimonio hace muchos años, yo no dije: "Espera un minuto, John. ¿Tienes alguna idea de en qué te estás metiendo?" No saqué una lista de razones por las cuales posiblemente él no podía amarme, o una hoja con mis antecedentes, insuficiencias e ineptitudes, para probarle por qué no debía hacerlo, aunque, realmente, razones había muchas.

¡Ni modo! De inmediato abrí mis brazos y acepté su amor. Hubiera sido una tonta si hubiera rechazado una oferta como esa.

Me pregunto qué ocurriría en nuestras vidas si dejáramos de resistirnos al amor de Dios y comenzáramos a recibirlo. ¿Qué tal si cesáramos de resolver las matemáticas y dejáramos de esforzarnos por ganar su favor? ¿Qué ocurriría si solamente aceptáramos la buena nueva, que parece demasiado buena para ser cierta, que la regla fue quebrada y que la cruz abrió una puerta hacia la intimidad con nuestro Hacedor?

Porque si alguna vez hemos de ser sus amados, debemos estar dispuestos a ser amados.

Sencillo, ¿verdad? Y no obstante tan difícil. Como a mi amiga Lisa, a muchos de nosotros nos agobian las dudas sobre este amor. Todavía tenemos tumbas ocultas que deben ser abiertas. Oscuros secretos que nos mantienen retrocediendo. Enfermedades del alma que nos han dejado paralizados y amargados por nuestra incapacidad de perdonar u olvidar. Mortajas que nos mantienen atados, y temores que nos impiden creer que las buenas nuevas pueden ser ciertas para personas como nosotros.

Yo sigo preguntándome qué ocurriría…

Quizá es tiempo de mirar al espejo y comenzar a testificarnos a nosotros mismos.

Tal vez es hora de dejar de vivir por lo que sentimos y de comenzar a proclamar lo que nuestro espíritu ya sabe: "He sido escogido o escogida por Dios. Ya sea que me sienta amado, o que crea que merezco ese amor, o no, desde este momento en adelante elijo ser amado."

Dígalo en voz alta: "Elijo ser amado."

Quizás tenga que hacer un esfuerzo por pronunciar las palabras. Tal vez hoy sus emociones no concuerdan con lo que recién ha declarado. Probablemente va a tener que repetir las mismas palabras mañana, y pasado mañana, y en los días siguientes.

Pero le aseguro que tan pronto usted empiece a apropiarse lo que Dios ya ha declarado como cierto, algo va a cambiar en las regiones celestiales. Y más importante aún, algo va a cambiar en usted.

De modo que repita esas palabras tantas veces como le sea necesario hasta que el mensaje salga de su densa cabeza y llegue a su nuevo y tierno corazón. Finalmente llegará a creer lo que todo el tiempo ha sido cierto.

Shhh… escuche. ¿Lo puede oír?

Es el Amor…

…Y le está llamando por su nombre.

Enviaron, pues, las hermanas para decir a Jesús:
Señor, he aquí el que amas está enfermo.
Oyéndolo Jesús, dijo: Esta enfermedad no es para muerte,
sino para la gloria de Dios,
para que el Hijo de Dios sea glorificado por ella.
Y amaba Jesús a Marta, a su hermana y a Lázaro.
Cuando oyó, pues, que estaba enfermo,
se quedó dos días más en el lugar donde estaba.
Luego, después de esto, dijo a los discípulos:
Vamos a Judea otra vez.
Dicho esto, les dijo después:
Nuestro amigo Lázaro duerme; mas voy para despertarle.

Juan 11:3-7, 11

2

Señor, el que amas está enfermo

El mensaje fue lacónico, pero cuando Jesús lo escuchó debe haber sentido el dolor que había detrás de las palabras. Su amigo Lázaro estaba enfermo.

Cansado, sin aliento, con el polvo del camino en su rostro, el mensajero esperó delante de Jesús. Los discípulos esperaban también. ¿Qué iría a decir el Maestro? Más aun, ¿qué haría? Durante el tiempo en que habían viajado con el hombre de Galilea, ellos habían sido testigos de cosas maravillosas. El paralítico caminó, el ciego pudo ver, incluso los leprosos fueron completamente sanados. Seguramente Jesús actuaría rápidamente a favor de este hombre que no era un extraño.

Pero estaban a más de treinta kilómetros de Betania, al otro lado del río Jordán, de la tierra de Judea, a un día de distancia de la familia que Jesús amaba. Había enemigos en los alrededores de Jerusalén que era necesario tener en cuenta, incluso circulaban rumores de que pesaba sobre él una sentencia de muerte. No obstante, conociendo los sentimientos de Jesús acerca de Lázaro, los discípulos deben haberse alistado para salir inmediatamente. Entonces Jesús rompió el silencio con lo que seguramente sonó en sus oídos como increíble buena noticia.

"Esta enfermedad no es para muerte, declaró ante los hombres que estaban a su alrededor, sino para la gloria de Dios, para que el Hijo de Dios sea glorificado por ella." (Juan 11:4)

Ciertamente estas eran buenas noticias, especialmente para el mensajero quien se apresuró a llevar la buena nueva a las hermanas que esperaban. Qué alivio poder decirles que su hermano no moriría; que Jesús vendría y todo estaría bien.

Pero el hombre no imaginaba que al regresar a Betania encontraría a dos desconsoladas hermanas y a Lázaro, el amigo de Jesús, ya muerto.[1]

Cuando la vida no tiene lógica

Las cosas no fueron planeadas de esta manera. La muerte, la pena y el dolor no eran parte del plan original de Dios. Fuimos creados para la vida, para una eternidad de estrecha comunión con nuestro Hacedor. No fuimos creados para sufrir enfermedad o para sentir la inexplicable pena causada por la pérdida.

Usted y yo fuimos creados para el paraíso.

Pero de acuerdo con Génesis, la llegada del pecado cambió todo eso. La rebelión de Adán y Eva abrió una puerta a la oscuridad, y la muerte entró al mundo como una conquistadora barriendo indiscriminadamente con toda la humanidad. El pecado ha puesto a una persona contra la otra y ha estado abatiendo a uno con enfermedad y a otro con odio. Ha pasado milenios saqueando los hogares y los corazones, dejando un rastro de quebranto, lágrimas y aflicción.

Pero de todas las secuelas del pecado, tal vez nada nos atormenta más que las preguntas que bullen en nuestra mente

¿Por qué?

¿Por qué estoy enfermo?

¿Por qué se rompió mi matrimonio?

¿Por qué no puedo encontrar a quién amar?

¿Por qué tuvo que morir mi amigo?

Estoy seguro que María y Marta lucharon también con algunos interrogantes. ¿Podían ellas haber hecho algo más? Tal vez debieron avisarle a Jesús tan pronto los síntomas de Lázaro empeoraron. Quizá las palabras del mensaje debieron ser más expresivas. Después de todo era un poquito vago: "Señor, el que amas está enfermo" (Juan 11:3). Posiblemente su amigo no entendió bien cuan seria había llegado a ser la situación.

Pero en sus mentes dos terribles cuestionamientos daban vueltas, como ocurre a veces en las nuestras, sin saber cuál era el más fuerte:

Tal vez esto es un castigo por algo que hemos hecho. Quizás es culpa nuestra que nuestro hermano haya muerto.

O algo aun más doloroso de considerar:

Quizás Jesús no nos ama tanto como nosotros lo amamos a él.

HALLÁNDOLE SENTIDO A LAS COSAS QUE NO LO TIENEN

Los seres humanos somos buenos para elaborar fórmulas. Necesitamos que las cosas nos cuadren, de modo que siempre estamos buscando razones para la forma en que el mundo funciona. Y es importante que lo hagamos porque tal curiosidad nos ayuda a encontrarle sentido a las cosas que nos rodean, y abre la puerta a descubrimientos e innovaciones que de otra manera no ocurrirían.

Pero infortunadamente nuestra insistencia en explicar la vida, a menudo nos conduce a conclusiones incorrectas. Especialmente cuando tratamos de conciliar el problema del dolor y el sufrimiento con la creencia en un Dios amoroso que cuida de nosotros.

Una de las percepciones equivocadas acerca de Dios que causa más daño a los cristianos es que si andamos con él, nunca debe ocurrirnos nada malo. Aunque no lo admitamos o no queramos verlo así, el clamor y la expectativa de la Iglesia en las últimas décadas ha sido en gran medida el de "Dios, bendíceme, bendíceme." Tanto que me temo que en realidad hemos creído la mentira que una vida relajada y obviamente bendecida es siempre una indicación del favor de Dios.

Si le ocurren cosas buenas es porque está haciendo algo bien. Si pasa por dificultades es porque está haciendo algo malo.

Esta forma de razonar suena lógica a la mente humana. Y también le parecía bien a la gente de la Biblia. Cuando se encontraron con el sufrimiento de Job, sus amigos insistieron en que tenía que haber una razón para su sarna, para la destrucción de su casa y la devastadora pérdida de su familia. "Ven acá, Job, admítelo. Obviamente tú has hecho algo malo."

Y la misma mentalidad la vemos en el Nuevo Testamento porque a los escribas y fariseos también les encantaban las fórmulas. Ellos habían creado un índice de reglas y pautas del tamaño de una enciclopedia para agradar a Dios y por ende para ganar sus favores. También eran proclives a pensar que la ausencia de ciertos favores indicaba el desagrado de Dios. Si por alguna razón usted caía enfermo, ellos razonaban que sólo una cosa lo podía explicar: o usted o sus padres habían pecado, y por lo tanto merecían su situación actual.[2]

Con razón en los días de Jesús los cojos, los leprosos, los ciegos y los sordos eran marginados por la sociedad, y a la mendicidad. Por cuanto merecían su destino, la única responsabilidad que la sociedad sentía hacia ellos era una limosna ocasional, un par de monedas cuando pasaban por la calle mendigando.

Era un sistema prolijo y aceptado… a menos que, por supuesto, tuviera usted la desgracia de ser uno de esos enfermos, mutilados o afligidos, como el otro Lázaro (Lucas 16:20).

Cuando no entendemos…

Cuando la Biblia nos dice que María y Marta le enviaron un mensaje a Jesús diciéndole que su hermano estaba enfermo, la palabra usada según el original griego fue *astheneo*. Según un escritor, "esta no es precisamente la palabra para designar un virus o peste que anda por ahí. La palabra que usaron describe una prolongada dolencia. Lázaro estaba debilitado por la enfermedad. Es la misma palabra utilizada para expresar impotencia, carencia de energía, una debilidad o un mal persistente.[3]

Mi amiga Renee sabe un poco de lo que Lázaro debe haber soportado. Una medicina que tomó hace muchos años afectó severamente su corazón, sus pulmones y sus nervios, y estos continúan deteriorándose. Pasa muchos días confinada a la cama. En una buena mañana, darse una ducha le toma una hora y la deja sin aliento. Mi amiga hace lo mejor que puede; come los alimentos debidos y procura hacer ejercicio. Sin embargo los médicos pueden hacer muy poco por ella, excepto tratar los síntomas. A menos que Jesús intervenga mi amiga morirá de su mal.

Pero al conocerla, uno no se da cuenta de ello. Renee es una de las personas más vibrantes y alegres que yo he conocido: un sol con espejuelos. Su conversación rara vez gira en torno a un problema o queja sobre su salud. Por el contrario, cuando respondo sus llamadas ella me saluda con un "Hola Joanna Gloria, ¿cómo estás hoy?"

¡Me encanta esa chica! Ella es un regalo para mí y para el cuerpo de Cristo

Renee le da gracias a Dios por cada día, por el aire, por la vida que tiene. Y no obstante mientras me maravillo por su resistencia y especialmente por la paz y la alegría que literalmente la rodean, debo confesar que a veces me pregunto por qué. ¿Por qué Renee? ¿Por qué no alguien que en realidad merezca una dolorosa sentencia de muerte como esta?

Pero entonces supongo que eso bien podría incluirme a mí.

Porque en realidad nadie merece la salud. Ninguno de nosotros merece este milagroso don de la vida. Todo es por gracia. Cada pizca de ella. Aun las partes duras, las que no comprendemos.

Yo no creo que Lázaro estuviera enfermo por causa de pecado en su vida. Tampoco mi amiga Renee.

La vida no es precisamente tan descomplicada o simple como muchos de nosotros quisiéramos hacerla. No podemos señalar un problema en particular y asignarle a alguien la culpa. Hay mucho que no podemos ver y que no comprendemos.

Pero permítame aclarar algo. Así como es un error suponer que todas las enfermedades son causadas por alguna falla por parte de quien las sufre, también sería incorrecto decir que el pecado no produce consecuencias. O que la enfermedad nunca es causada por la desobediencia.

Tras sanar a un hombre paralítico en el estanque llamado Betesda, Jesús lo encontró posteriormente en el templo. "Mira, has sido sanado," le dijo; "no peques más, para que no te venga alguna cosa peor" (Juan 5:14).

Porque hay un mal mucho más dañino para la humanidad que el que es diagnosticado por los médicos. Y Jesús lo sabía. Es la maldición que ha asolado nuestros corazones desde el momento en que los labios de Eva tocaron el fruto prohibido.

La enfermedad que él vino a curar.

VIVIMOS EN UN MUNDO CAÍDO

De todos los males que existen en el mundo, ninguno ha causado tanto dolor o tanta destrucción a los seres humanos como la plaga generalizada pero a menudo diagnosticada erróneamente llamada P-E-C-A-D-O.

En estas seis letras encontramos el ADN de un súper virus que ha destruido más carreras, matrimonios, familias, iglesias, y más hombres, mujeres, muchachos y muchachas, que todas las enfermedades de la tierra juntas. Ha hecho pedazos más reputaciones, ha destrozado más corazones y destruido más mentes que cualquier epidemia.

No importa cuánto procuremos, no podemos sustraernos a él porque está entretejido en nuestra humanidad, y pasa de generación a generación de hombres buenos y malos, de madres tiernas y de rabiosos lunáticos, de reyes nobles y de tiranos perversos. Está latente dentro de mí y habita en usted también. Por lo que se puede decir de cada uno de nosotros: "Señor, el que amas está enfermo."

Quizás no seamos asesinos que usan armas. No obstante, la calumnia o la difamación que tan fácilmente sale de nuestra boca asesina más de lo que sabemos.

Tal vez no somos drogadictos que irrumpen en las casas aterrorizando a las ancianas con el fin de obtener dinero para otra dosis. Pero nuestra mentalidad escapista puede ser igualmente peligrosa y erosiona nuestros matrimonios y nuestras familias, haciendo que estemos físicamente presentes en nuestras relaciones pero no disponibles emocionalmente.

Probablemente no somos artistas del engaño o abusadores de niños, prostitutas o matones, pero la envidia, la lujuria, la ira y el orgullo que acechan en nuestro interior preocupan el corazón de Dios tanto como cualquiera de nuestros más negros pasatiempos.

Porque el pecado, todo tipo de pecado, destruye, mutila, y nos corta la conexión con la vida que necesitamos.

¿QUÉ HACE DIOS CON NUESTROS PECADOS?

Rosalinda Goforth, conocida misionera en China, luchó durante muchos años con una opresiva carga de culpa y pecado que la dejó con el sentimiento de ser una fracasada espiritualmente. Finalmente, a causa de su desesperación, se sentó con su Biblia y una concordancia decidida a descubrir cómo visualiza Dios las faltas de sus hijos. En la parte superior de una hoja de papel escribió estas palabras: ¿Qué hace Dios con nuestros pecados? Luego escrutó las Escrituras y compiló esta lista de diecisiete verdades:

1. Los echa sobre su Hijo Jesucristo (Isaías 53:6).
2. Cristo los quita de nosotros (Juan 1:29).
3. Son removidos a una inmensa distancia, tan lejos como está el oriente del occidente (Salmo 103:12).
4. Cuando se buscan no son hallados (Jeremías 50:20).

5. El Señor los perdona (1 Juan 1:9; Efesios 1:7; Salmo 103:3).
6. ¿Nos limpia de todo pecado por la sangre de su Hijo (1 Juan 1:7).
7. Los limpia hasta que quedan tan blancos como la lana o la nieve (Isaías 1:18; Salmo 51:7).
8. Los perdona con amplitud (Isaías 55:7).
9. Sepulta en el mar todos nuestros pecados e iniquidades (Miqueas 7:19).
10. No los recuerda más (Hebreos 10:17; Ezequiel 33:16).
11. Los echa tras sus espaldas (Isaías 38:17).
12. Los echa en lo profundo del mar (Miqueas 7:19).
13. No nos imputa pecados (Romanos 4:8).
14. Los cubre (Romanos 4:7).
15. Los borra (Isaías 43:25).
16. Deshace como a nube nuestras rebeliones y como a niebla nuestros pecados (Isaías 44:22).
17. Borra incluso la prueba que hay contra nosotros y la clava en la cruz de su Hijo (Colosenses 2:14).[4]

Bienaventurado aquel cuya transgresión ha sido perdonada, y cubierto su pecado.

Salmo 32:1

Y si somos sinceros con nosotros mismos, tenemos que admitir que lo sabemos. Lo sentimos. Cada uno de nosotros está enfermo de pecado, no hay otra manera de describirlo. Y nuestras transgresiones, si no las confesamos y tratamos con ellas, nos separan de Dios y causan las dudas acerca del amor que aterrorizan nuestras noches y nublan nuestros días.

Pero no tenemos que vivir de esa manera. Porque si sencillamente aceptamos el diagnóstico, Jesús ya ha provisto el remedio.

BUSCANDO SIEMPRE– ENCONTRADO PARA SIEMPRE

Hace diez años, mientras escribía *Como tener un corazón de María en un mundo de Marta*, tuve un sueño extraño y recurrente. Por lo menos una vez a la semana soñaba que estaba caminando en un cuarto oscuro, en una casa extraña, aunque de alguna manera conocida. En mi sueño deambulaba por un conjunto de pasillos y recintos buscando algo que había perdido.

Andando a tientas en la oscuridad, avanzaba paso a paso a través de los interminables corredores.

La frustración de la búsqueda fue sobrepasada solamente por la urgencia que sentía. Tenía que encontrarlo, sin importar qué era lo que buscaba. Pero nunca lo encontré a pesar de las muchas veces que tuve el sueño y de la diligencia con que lo buscaba. Cuando despertaba, la intensidad del sueño me seguía a lo largo del día. Lo sentía tan real que me encontraba a mí misma haciendo un una nota mental para ir a dicha casa (en el lugar que estuviera) y encontrar el tesoro que de alguna manera había ubicado en el lugar equivocado.

Raro sueño que no entendí plenamente hasta casi un año después de que el primer libro fue publicado. La iluminación me vino finalmente en la forma de una carta de una lectora, la representante de un ministerio al cual había pedido que considerara la posibilidad de recomendar el libro.

La remitente de la carta fue muy amable en sus comentarios acerca del libro, pero gentilmente me informó que el ministerio que ella representaba no podía incluir el título en su lista de libros recomendados. Sus normas exigen que todos los libros recomendados incluyan un claro plan de salvación. Y el mío, aunque bien escrito para cristianos ya establecidos en la fe, no incluía ninguno.

"Verás Joanna (me decía ella en su carta), yo ya era una mujer de 42 años de edad cuando me dijeron que podía tener una relación personal con Cristo. Aunque había asistido a la iglesia desde niña, nadie me había dicho cómo aceptar a Cristo como mi Salvador personal. Por eso es tan importante decirle a la gente que sencillamente creer en Dios no es suficiente: tenemos que aceptar el regalo que Cristo ofrece."

Y ella tenía razón. La Biblia enseña claramente que la creencia en la existencia de Dios no nos salva. También los demonios creen, ¡y tiemblan! (Santiago 2:19). Si alguna vez hemos de disfrutar la relación íntima y personal que Dios anhela tener con nosotros, sólo hay un camino, una verdad y una vida (Juan 14:6).

Como puede ver, el tesoro que había estado buscando en mi sueño se encuentra solamente en un lugar: en la persona del Dios-Hombre, Jesucristo. Él es mucho más que una anécdota, más que una historia alentadora que describe una verdad espiritual. Él es el antídoto para el veneno del pecado y el único, el singular remedio para la enfermedad del pecado que ha contagiado a la humanidad desde aquel fatídico día en el Huerto de Edén.

Porque solamente Jesús puede proveer un despertar como el de Lázaro para el sueño del alma que nos afecta a todos.

¡Despiértate tú que duermes!

Habían pasado dos días desde que supieron de la enfermedad de Lázaro. Los discípulos debieron preguntarse por qué Jesús esperaba tanto para ir a Betania, o si iría o no. Había suficientes razones para no hacerlo, incluyendo una amenaza de muerte. Pero entonces el Maestro los reunió y les dijo: "Vamos a Judea otra vez" (Juan 11:7).

La invitación

No hay pregunta más importante que la que hizo un carcelero filipense hace más de dos mil años: "¿Qué debo hacer para ser salvo?" (Hechos 16:30).

Jesús respondió esa pregunta una vez y para siempre al tomar sobre sí mismo el castigo de nuestros pecados. Nosotros lo que tenemos que hacer es sencillamente aceptar el regalo de la salvación que él nos ofrece. ¿Cómo lo hacemos? La Asociación Evangelística Billy Graham enumera cuatro pasos para recibir a Cristo:

- Admita su necesidad. (Soy pecador.)
- Esté dispuesto a apartarse de sus pecados (arrepentirse).
- Crea que Jesucristo murió por usted en la cruz y que se levantó de la tumba.
- Haga una oración como esta: Señor Jesús, sé que soy pecador y te pido que me perdones. Creo que moriste por mis pecados y que te levantaste de entre los muertos. Me aparto de mis pecados y te invito a entrar a mi corazón y a mi vida. Quiero confiar en ti y seguirte como mi Salvador y Señor. Oro en tu nombre, amén.[5]

Los discípulos trataron de disuadirlo mencionando la turba religiosa que había intentado apedrearlo pocas semanas antes. Pero Jesús no cambió de opinión por sus argumentos y les dijo: "Nuestro amigo Lázaro duerme; más voy para despertarle" (Juan 11:11).

Deténgase por un momento y lea la última frase.

"Nuestro amigo Lázaro duerme; mas voy para despertarle." ¡Oh, de qué

A todos los que le recibieron,
a los que creen en su nombre,
les dio potestad de ser hechos hijos de Dios.
Juan 1:12

manera me hablan a mí esas palabras!

A través de la Biblia el sueño es sinónimo de muerte. Irónicamente, como ocurrió con Blanca Nieves, un fruto envenenado hizo que Adán y Eva cayeran en un estado de inconciencia espiritual que todavía nos afecta hoy a usted y a mí. Cuando Dios dijo a la primera pareja que no comieran el fruto del árbol prohibido, cuando dijo "el día que de él comiereis, ciertamente moriréis" (Génesis 2:17), no estaba bromeando. En el momento en que desobedecieron, el centro de su ser cayó en un sueño.

La parte de ellos que tenía la mejor comunión con su Creador, es decir, su espíritu, murió.[6]

De igual manera nuestro espíritu permanece bloqueado por un espíritu de muerte hasta que conocemos a Jesucristo como nuestro Salvador personal. Hasta que el Príncipe de Paz despierta nuestros corazones dormidos con un tierno beso y rociándolos con su sangre derramada, la parte más importante de nuestro ser permanece inánime, muerta. Solamente Cristo puede realizar la resucitación que tan desesperadamente necesitamos.

Pero es importante darnos cuenta que aún después de haber dedicado nuestra vida a Jesús, el peligro del sueño espiritual nunca desaparece. Aunque ya no estamos muertos espiritualmente, todavía es posible que nuestra alma se adormezca y vuelva al sueño. Andando por la vida afectados por un tipo de narcolepsia y sonambulismo espiritual, seguimos siendo amados por Jesús, como Lázaro, pero con la desesperada necesidad de ser despertados por un encuentro con el Dios vivo.

¿Cómo es posible que los cristianos puedan caer en tal letargo? En la mayoría de los casos no ocurre de repente. Quedarse dormido espiritualmente es generalmente un proceso gradual. Un lento entumecimiento del corazón junto con una disminuida capacidad de escuchar la voz del Espíritu. Un desvío y un soñar de nuestras almas mientras persiguen otras metas.

En mi caso, tal siesta, aparentemente inocente, a menudo ha comenzado con una cancioncita. Con una comprometedora melodía tarareada un día por el Engañador. Después con una larga balada de autocompasión cantada por el mismo Satanás. Pensar que Lucifer pueda usar sus impuras y pecaminosas canciones para halagarnos y hacernos caer en el olvido espiritual tiene lógica para mí. Después de todo, parece que él tiene un amplio repertorio musical.

No es gran cosa, fue la serenata que le dio al rey David, cuando el hombre conforme al corazón de Dios comenzó a ir tras la esposa de otro hombre (2 Samuel 11:2-4).

Todo el mundo lo hace, le tarareó suavemente a Sansón, el hombre más fuerte que haya vivido, mientras lo llevaba a cambiar el secreto de su fuerza por otra noche en los brazos de una bella filistea (Jueces 16:15-17).

A nadie le importas, le cantó a un cansado profeta como Elías, sentado bajo un Enebro, agobiado por el desánimo (1 Reyes 19:3-4).

Cada una de las anteriores fueron canciones satánicas, y hay tantas y tan diferentes composiciones como oídos que las escuchen. Música para hacernos dudar del amor de Dios. Melodías para hacer que nos despreocupemos. Cancioncitas destinadas a arrullarnos suavemente hasta llevarnos al punto en que seamos ciegos a las tretas del Enemigo y sordos a la voz del Espíritu.

Entramos entonces en un rápido sueño. Alejados del Dios que servimos y del amor que necesitamos. Y con una profunda necesidad de despertar.

Hace algunos años pernoctaba yo en un hotel en Houston, Texas. Cuando llamé a los empleados de la recepción para pedir que me despertaran por la mañana, prometieron hacerlo, y prometieron aún más.

"Si usted no responde al teléfono, le tocaremos la puerta," dijo el empleado. "Si no responde a la puerta entraremos a la habitación y la sacudiremos hasta que despierte."

A eso le llamo buen servicio. Un poco perturbador, pero servicio al fin y al cabo.

Creo que a Dios le encantaría hacer lo mismo por nosotros si le diéramos permiso. Él sabe cuan fácilmente nos dormimos y nos hacemos sordos a las alarmas espirituales. Ha observado cómo sistemáticamente nos encogemos ante sus estímulos cuando ha tratado de revivirnos. Pero nuestro Padre celestial está dispuesto a pasar por todo eso y más, si solamente lo escuchamos y le respondemos.

Estamos dormidos, Señor Jesús. ¡Despiértanos! Esa debe ser nuestra oración diaria. *Despiértanos a tu amorosa misericordia. Despiértanos a tu bondad y a tu poder para salvar.* Aunque, como María y Marta, a veces nos preguntemos *si quizás esta enfermedad es un castigo por nuestros pecados.* O *quizás Jesús no nos ama tanto como nosotros lo amamos a él.*

Despiértanos, Señor Jesús, a la absoluta integridad de tus caminos, porque solamente tú puedes tomar las cosas que eran para nuestro mal, y cambiarlas para nuestro bien (Génesis 50:20).

Nuestro Gran Redentor

De todos los títulos de Jesús, he llegado a apreciar más el de Redentor. Después de andar tantos años con el Señor, en los buenos y en los malos tiempos, puedo declarar junto con Job: "Yo sé que mi Redentor vive" (Job 19:25). Porque él toma lo que no tiene valor y lo hace precioso cuando confiamos en sus amorosas manos.

Cuando Dios interrumpió el espiral descendente de la humanidad al enviar a su propio Hijo, Jesús vino a una cultura que esperaba que el Mesías estableciera un reino libre de problemas, dolor y aflicción. Aun sus propios discípulos esperaban que él se pusiera a la cabeza de Roma y estableciera un régimen nuevo con posiciones y beneficios especiales reservados para ellos.

Quienes esperaban al Prometido siempre creyeron que él reinventaría al mundo.

Dios, en cambio, eligió redimirlo.

Lo que significa que el pecado está todavía presente y Satanás todavía está activo. Asesinatos y violentas guerras cubren la tierra. La enfermedad sigue asolando los cuerpos, las mentes y los corazones. A menudo los inocentes mueren jóvenes. Y pensamos que seguramente tiene que haber algo mejor.

Después de todo, hace mucho que Dios pudo haber pulsado el botón de empezar de nuevo, en el comienzo del tiempo. Pudo haber echado un vistazo al caos que nosotros los seres humanos habíamos creado, a nuestro odio, nuestra rebelión, inmoralidad e idolatría, y decidido borrarlo todo. Con sólo pulsar un botón Dios pudo haber reiniciado y comenzado otra vez.

En cambio, él se hizo hombre y en la cruz tomó sobre sí el peso de nuestros pecados. Todos mis fracasos, todas nuestras heridas, toda nuestra devastación. Con un final suspiro él lo redimió todo.

"Consumado es," dijo Jesús un instante antes de morir (Juan 19:30). Y lo fue. Porque con estas palabras vino el gran intercambio. Su muerte llegó a ser la nuestra para que nuestra vida pudiera ser suya. Y tres días después, la tragedia se cambió en triunfo cuando el Cordero salió de la tumba como un León. Silenciando las risas del infierno, Jesús arrebató las llaves de la muerte y de la tumba e hizo añicos la conspiración de Satanás, redimiéndonos a usted y a mí y haciendo que toda la destrucción que el Enemigo había perpetrado contra nosotros se volviera como un *bumerang* contra su cabeza engañadora, ladrona y causante de problemas.

Cristo todavía sigue haciendo la misma obra recicladora, tomando la basura de la gente y elaborando obras maestras de gracia. Reclamando prostitutas y asesinos, leprosos y mendigos, ejecutivos codiciosos y amas de casa desesperadas, y transformándolos en trofeos vitales de su amor.

Ese es el poder del evangelio, el punto central de las buenas nuevas.

"Cristo no vino para hacer hombres buenos de hombres malos," afirma Ravi Zacharias, "sino a dar vida a hombres muertos."[7] Porque nuestro Padre celestial sabía que necesitábamos más que una renovación. Necesitábamos una resurrección. Y eso fue lo que Cristo vino a traer. "Esta enfermedad no acabará en muerte," les aseguró Jesús a sus discípulos en Juan 11:4, y él nos susurra hoy a usted y a mí la misma esperanza.

Escriba en el espacio en blanco cual es su situación. "Señor, el que amas está ___________." Le diagnosticaron cáncer, enfrenta una bancarrota, está perdiendo su matrimonio; la lista puede seguir así. Pero ninguno de esos problemas es demasiado grande para Dios.

Jesús ha prometido que esta enfermedad, este quebranto, esta situación que altera la vida, no terminará en muerte. Por el contrario, si respondemos a su invitación y dejamos las tumbas de nuestro pecado y aun de nuestras dudas, nuestra vida declarará la verdad de su siguiente afirmación: "No es para muerte sino para la gloria de Dios."

Porque tal como lo dijo San Ireneo: "La gloria de Dios es el hombre en su plenitud de vida."[8]

De modo que cura, Señor, mi narcolepsia espiritual. Despiértame de mi letargo. Sacúdeme, si es necesario, hasta que responda. Pero hagas lo que hagas, querido Jesús, y no me dejes igual.

Porque cosas buenas vendrán para los que despiertan.

Luego, después de esto, dijo a los discípulos:
"Vamos a Judea otra vez."
Dicho esto, les dijo después:
"Nuestro amigo Lázaro duerme;
mas voy para despertarle."

Juan 11:7, 11

3

Nuestro amigo Lázaro

Ah, la indescriptible alegría de ser amados! Yo estoy en este momento en la envidiable posición de tener dos hombres que están locos por mí.

El primero, mi maravilloso esposo no está tan entusiasmado como el segundo, aunque John me muestra amor en centenares de formas cada día. Pero Josué, el segundo, bueno, este pequeño enamorado parece que no puede hacer lo suficiente para mostrarme cuánto me adora. Sus atenciones vienen con flores, muñecos y cantidades de declaraciones verbales.

No son precisamente las palabras las que aumentan el palpitar de mi corazón porque he sido bendecida de poder oír que me digan "te amo", muchas veces en toda mi vida. Lo que hace las palabras de Josh tan deliciosas es la *manera* en que las dice. Es decir, el hecho de que siente lo que dice.

No las dice con ligereza o displicencia cuando sale a jugar. Ni utiliza su cariño para comprar sus caprichos. De ninguna manera. Por lo menos por ahora, sus declaraciones de amor son solamente pura adoración. Y últimamente, por alguna razón, Josh infunde a estas dos palabras tal pasión y emoción que me deja sin aliento.

"Mami," me dice con un poco de solemnidad, haciendo una breve pausa hasta que logra toda mi atención. Luego con su manera lenta y dulce de hablar a media lengua, y con un énfasis extra me dice: "Te quiero."

De repente todo mi mundo está bien. Más que bien, maravillosamente. Josué se echa a mi cuello y me abraza, y yo le devuelvo ese amor alzándolo como si pudiera tenerlo abrazado para siempre.

Después de un instante, a veces un tanto más largo si estoy de suerte, Josh se suelta y se retira. Me da un gran apretón extra y luego dándome un beso meloso se baja de mis piernas y vuelve a jugar.

Pero antes de que lo haga, mientras todavía estamos abrazados, mi corazón capta una foto instantánea describiendo la alegría de ser amada. No por lo que he hecho ni por lo que soy. Sino sencillamente porque mi sola presencia le causa tan intensa emoción que necesita expresarla, no una, sino varias veces al día.

Soy conciente de que eso es sólo una fase. Sé que Josué crecerá y estará enamorado de mucho más que de mí. Oh, sí, todavía me expresará su amor, esa es su manera de ser. Pero no lo hará ni con tanta intensidad ni con tanta frecuencia. Por ahora estoy decidida a disfrutar cada minuto. Cuando quiera que Josh se cruza en mi camino, dejo de hacer lo que estoy haciendo para beber de esa preciosa dulzura. Hay un gozo indescriptible en el hecho de ser amada de esa manera, y no quiero perdérmelo.

¿Por qué le estoy contando esto? ¿Para hacer que usted desee tener un embarazo no esperado a los cuarenta cuyo resultado sea un chiquillo maravilloso como el mío?

No, aunque no podría desearle a alguien un regalo mejor.

Le cuento esto porque Josué me está enseñando el tipo de relación que Cristo anhela tener conmigo. La aventura amorosa que estoy disfrutando con mi pequeño de seis años de edad es el tipo de relación amorosa que Dios desea disfrutar con todos sus hijos. La fusión de corazones que él ha deseado desde la fundación del mundo.

La soledad de Dios

A los ángeles jamás se les ocurrió que Dios pudiera sentirse sólo. El Omnipotente, el Omnisciente, el eterno Principio y Fin, los tres en una Deidad, ¿cómo podía el Todopoderoso sentir alguna carencia?

No obstante, había por algún tiempo una silenciosa inquietud alrededor de Yavé. Una mirada distante de vez en cuando revelaba un ansia, un anhelo; casi una tristeza. Tal vez, entonces, no hubo ninguna sorpresa cuando el que no había sido creado declaró su deseo de crear.

Después de ser testigos de cinco días de un extraordinario obrar, de observar cuando Dios dejó caer una pequeña órbita verde azulosa en el espacio creado, y que la llenó con una maravillosa invención tras otra, los ángeles deben haberse empinado sobre sus pies para ver qué haría Dios después.

"Hagamos al hombre a nuestra imagen," dijo el Creador y se inclinó para llenar sus manos de barro. Con gran esmero, el Eterno le dio forma a su obra. Luego, inclinándose sobre ella, suavemente infundió un soplo de vida en el barro inerte, y creó un hombre... y luego una mujer. *Los dos eran suficientemente apuestos*, pensaron los ángeles, *aunque un poco ordinarios*, especialmente comparados con todo lo que ellos habían visto. No obstante, Dios parecía bastante complacido.

Tal vez, reflexionaron los ángeles, *estas criaturas tenían algún talento especial del cual ellos no eran concientes; alguna cualidad singular que los haría útiles para el reino.* De modo que esperaron para ver actuar a estos seres humanos.

Pronto resultó evidente que toda la obra previa de Dios, las altas montañas, los valles verdes y exuberantes, las gloriosas alboradas y los coloridos atardeceres, habían sido hechos para el placer y deleite del hombre y la mujer, su última creación.

Pero no solamente para su deleite. Había una razón adicional. Los ángeles se dieron cuenta que el mundo reluciente era tan solo un telón de fondo, un escenario sobre el cual ellos verían desarrollarse el verdadero propósito de la creación.

Porque todo ello había sido creado para facilitar la apasionada búsqueda de Dios de una relación con el género humano.

Para qué fuimos creados

Tal vez usted nunca ha considerado lo mucho que su Padre celestial anhela conocerlo y que usted lo conozca a él. Se nos ha dicho que nacimos con un vacío espiritual que no puede ser llenado por nada ni por nadie excepto por Dios mismo. Pero, ¿ha pensado alguna vez que Dios pueda tener un vacío que sólo usted puede llenar?

Esa es la implicación general del mensaje bíblico. Desde el libro de Génesis hasta Cantares de Salomón, de Eclesiastés a Malaquías, de Mateo hasta Apocalipsis, la Biblia entera registra una historia épica del tierno amor de

Dios que constantemente nos tiende la mano y que con tenacidad nos busca. Yo aprecio la manera en que la paráfrasis bíblica en *The Message* expresa lo anterior en Efesios 1:4-6:

> Mucho antes de que echara los fundamentos de la tierra [Dios] nos tenía en su pensamiento; había fijado en nosotros su amorosa atención para hacernos sanos y santos por medio de su amor. Mucho tiempo antes él decidió adoptarnos en su familia mediante Jesucristo. (¡Qué deleite el que le produjo planear tal cosa!) Él quiso que entráramos a celebrar su espléndido regalo de la mano de su amado Hijo.

¿Ve lo que quiero decir? La Biblia es clara. Tenemos un Dios que está enamorado de nosotros.

La pregunta es: ¿estamos nosotros enamorados de él?

Yo quiero tener esta clase de amor para Dios, pero el problema es que no sé cómo actuar al respecto. Ese amor apasionado de mi hijito me está enseñando mucho al respecto. Sin embargo, estoy aprendiendo mucho más a amar a Jesús por el ejemplo de un hombre en la Biblia cuyas palabras no quedaron registradas. Aunque no tenemos mucha información sobre la cual especular, y ninguna descripción física de Lázaro, aún así aprendemos cosas importantes acerca de este hombre que nos muestra la Escritura.

Lo primero es que Jesús amaba a Lázaro.

Segundo, ese amor se tradujo en una estrecha relación entre los dos.

El primer punto puede parecer obvio y no tan importante. En realidad, Jesús nos ama a todos. Sin embargo el narrador bíblico destaca su cercanía o intimidad varias veces para asegurarse de que sepamos que esta no era una mera relación de conocidos.

Por ejemplo, en Juan 11:3 la hermana de Lázaro envía un mensaje: "Señor, el que *amas* está enfermo."

Posteriormente, en el versículo 5, Juan lo reitera: "*Amaba* Jesús a Marta, a su hermana y a Lázaro."

Incluso, los judíos que después se reunieron en el funeral de Lázaro deben haber estado concientes de que existía una relación especial entre Cristo y el hombre a quien lamentaban, porque cuando vieron a Jesús llorando frente a la tumba, dijeron: "¡Mirad cómo le *amaba*!" (versículo 36).

Jesús amaba a Lázaro, y a Marta y a María también (versículo 5). Y yo creo que los tres hermanos correspondían ese amor. La Biblia nos cuenta que Jesús regresaba con frecuencia a Betania. Esta familia seguramente le proporcionaba gran consuelo y alegría al ofrecerle un hogar en donde era aceptado, bienvenido, y recibido con brazos abiertos y amado de veras.

Oír que Lázaro estaba enfermo debe haber afligido el corazón de Jesús, aun cuando él sabía cómo terminaría la historia. Juan 11:33 nos dice que cuando llegó a Betania y vio a María llorando, "se estremeció en espíritu y se conmovió". De hecho tan conmovido que quizá literalmente gimió en voz alta. La palabra griega *embrimaomai*, utilizada en la frase "se conmovió", se deriva de una raíz que significa bufar o resoplar con rabia o indignación"[1] Jesús no tomó con liviandad el dolor de la familia. Porque Lázaro era mucho más que un seguidor.

Cuando se refirió al hermano de María y Marta, Jesús utilizó un término que a primera vista parece genérico, pero que es mucho más íntimo, por no decir importante. Y puede cambiar nuestra relación con nuestro Hacedor, si buscamos ser llamados así.

Cuando habló de Lázaro Jesús lo llamó "amigo" (Juan 11:11).

AMIGO DE DIOS

¿Qué significa ser amigo de Dios? Estoy hablando de un tipo de amistad real y verdadera con Dios.

Yo he sentido que el Señor ha estado cuestionándome con esta misma pregunta. Me gustaría pensar que Jesús me considera su amiga. Pero, ¿lo soy realmente? ¿Soy alguien con quien él se puede sentir seguro? ¿Es mi corazón un lugar con suficiente espacio en donde él puede sentirse a sus anchas y descansar? ¿Es *mi casa* verdaderamente *su casa*?

No es fácil encontrar un amigo así. Pregúntele a una de las celebridades de Hollywood asediada por amigos que parecen sinceros pero que realmente están ahí por lo que pueden conseguir.

En su libro sobre la sicología de la fama y los problemas de las celebridades, el escritor David Giles describe la soledad que suele abrumar a las personas famosas: "Al conocer a un nuevo relacionado, la pregunta a responder no es `¿le gusto a esta persona por lo que soy?´ sino `¿le gusto por *lo que* puede obtener de mí?"[2]

Según Giles, aun el filósofo griego Cicerón tuvo esta experiencia. En el año 60 a.C., "se quejaba de que a pesar del "montón de amigos" que lo rodeaban, no podía encontrar uno con quien poder "gemir en privado".[3]

Me pregunto si a veces Dios se siente así. ¿Se duele cuando se da cuenta que la mayoría de las personas se acercan a él por lo que pueden obtener?

¿Por los contactos que pueden hacer?

¿Por qué sienten la calidez de ser mimados?

¿Por los beneficios que produce el cristianismo: paz, alegría, provisión?

¿O por las recompensas que esperan cuando ofrecen a Dios un calculado regalo de servicio?

Ayúdame a amarte más

En su libro *Loco Amor*, Francis Chan nos insta a invitar a Dios a que nos ayude a amarlo más.

> Si usted tan solo simula que ama a Dios y disfruta la relación con él, él lo sabe. Usted no puede engañarlo; ni siquiera lo intente. En cambio dígale cómo se siente. Cuéntele que él no es lo más importante para usted en esta vida y que usted lo siente. Dígale que ha sido tibio, que ha escogido a ________________ y le ha dado más importancia, una y otra vez. Dígale a Dios que usted quiere que él lo cambie al punto que anhele disfrutar de la relación con él. Que desea amarlo más que a cualquier otra persona o cosa sobre la tierra. Que quisiera atesorar tanto en el reino de los cielos que estaría dispuesto a venderlo todo por obtener esas riquezas espirituales. Cuéntele a Dios que es lo que más le gusta de él, lo que usted más aprecia en él y lo que le causa más alegría.

> Jesús, necesito darme a mí mismo. No soy lo suficientemente fuerte para amarte y caminar contigo por mis propias fuerzas. No puedo hacerlo y por eso te necesito. Tengo una inmensa necesidad de ti, te necesito desesperadamente. Creo que tú eres valioso, que eres mejor que cualquier otra persona o cosa que pudiera tener en esta vida o en la otra. Anhelo desearte más. Sé todo para mí. Toma todo de mí. Haz lo que quieras conmigo.[4]

Mi corazón ha dicho de ti: Buscad mi rostro.
Tu rostro buscaré, oh Señor.

Salmo 27:8

Tal relación egoísta y orientada a obtener resultados tiene que afligir el corazón del Todopoderoso, y ciertamente hace que perdamos la intimidad que él pretende.

En *El divino romance*, un imaginativo recuento de la historia del Éxodo, Gene Edwards pinta un cuadro conmovedor de lo que son los sentimientos de Dios hacia nosotros. Grabada en mi mente quedó una escena en particular: el momento en que Dios observa cuando el pueblo sacado de la esclavitud en Egipto promete servirle para siempre. Prometiendo servir a Yavé en todo, en las cosas grandes y en las pequeñas, traen todos sus tesoros y se postran sobre sus rostros para adorarlo. Sin embargo, mientras mira, "sin que nadie lo observe" Dios es abrumado por una "profunda tristeza", dice el señor Edwards.

> Un largo y profundo gemido de pena no escuchado por humanos oídos, pero que rompe la tranquilidad de toda la corte celestial, surge desde su profundidad.
>
> *Yo no te pedí tu riqueza, ni monedas de oro.*
> *¿Qué necesidad tengo de ellas?*
> *No te pedí que me sirvieras.*
> *Yo, el Todopoderoso,*
> *¿necesito que me sirvan?*
> *Tampoco te pedí*
> *tu adoración o tus oraciones,*
> *ni siquiera tu obediencia.*
>
> Hizo una pausa y, una vez más, un largo y lastimero gemido brotó de su pecho.
>
> *Tan solo una cosa te pedí*
> *que tú me ames…*
> *que me ames…*
> *que me ames…*[5]

EL LENGUAJE DEL AMOR DE DIOS

Yo no creo que alguno de nosotros pretenda desechar una verdadera relación con Dios por algún tipo de actuación, ya sea de tipo práctico o espiritual. Sin embargo, la tendencia a hacerlo parece hacer parte de nuestra naturaleza. Es como si allá en el Edén hubiera sido accionado el interruptor incorrecto, y se hubiera reemplazado el regalo de la comunicación por la maldición de las obras. Lo cual, supongo, es lo que realmente ocurrió en ese lejano día del pasado. "Por cuanto comiste del árbol de que te mandé diciendo: No comerás de él…, dijo Dios a los primeros seres humanos, maldita será la tierra por tu causa; con dolor comerás de ella todos los días de tu vida" (Génesis 3:17).

Desde el momento en que Adán y Eva desobedecieron a Dios, tuvieron que trabajar por su comida. Pero note por favor que él nunca les exigió un plan para restaurar su relación con él. Porque esa era tarea de Dios solamente, y ya había empezado.

"La cruz no existió por accidente," escribe Max Lucado en su hermoso libro *Dios se acercó*. "En el mismo instante en que el fruto prohibido tocó los labios de Eva, la sombra de una cruz apareció en el horizonte."[6]

El brillante plan de redención fue puesto en marcha en el momento en que el pecado entró al mundo. Y todo fue orquestado por Dios. Nunca fue el propósito que una relación viva y vibrante con nuestro Padre fuera obra nuestra, no importa cuan nobles pudieran ser nuestros esfuerzos.

La historia de Gene Edwards me asombra. *"Yo no te pedí que me sirvieras,"* increpa Dios a su amado, *"ni te pedí tu adoración ni tus oraciones."* Esas son declaraciones impactantes por cuanto él centra su atención en las dos formas en que los cristianos generalmente tratamos de acercarnos a Dios. A través del servicio y mediante la adoración. Servicio y adoración, los mismos métodos por los cuales las hermanas de Lázaro de Betania trataron de relacionarse con Jesús. Marta, por supuesto es el modelo de servicio. Su historia en Lucas 10:38-42 subraya las dificultades que surgen cuando quedamos tan atrapados por las buenas obras que perdemos de vista nuestra relación con Dios. Es fácil llegar a estar tan enamorados de la aprobación humana que viene del hecho de entregar nuestra vida como voluntarios de causas nobles: enseñar en la Escuela Dominical cada semana, proveer comida a los hambrientos, etc., que nunca nos detenemos a descansar en la presencia de Dios para beber de su vida e inundarlo con nuestro amor.

Aunque los actos de servicio son vitales en nuestro caminar con Dios, e incluso demuestran nuestra fe, según lo dice Santiago 2:17, la intención fue que fluyeran como resultado de la relación con Dios, no que la reemplazaran.

La historia de Edwards me recuerda que aunque Dios ha elegido involucrarnos en su obra de redimir el mundo, realmente él no *necesitaba* hacerlo. En realidad todo lo que necesitaba hacer era hablar; él es el Todopoderoso. Él podía hacer lo que fuera necesario sin la participación nuestra.

Dios no nos necesitaba, pero ¡cómo *quería* que fuésemos suyos!

Esa es la libertad que Jesús le ofreció a Marta. Libertad del Dios que ella pensaba que él era, eternamente exigente, siempre requiriendo más y de mejor calidad, elevando siempre el nivel de sus demandas. Pero en Cristo ella encontró un Dios que quería compartir su vida, no consumirla. Un Padre que deseaba más su amor que su diligente servicio.

Pero, ¿y qué de la adoración? Porque después de todo, eso es lo que parecía que María le estaba ofreciendo a Jesús y él lo reconoció y la alabó por eso. ¿Podría ser que Dios desea de nosotros algo más que eso?

Antes de ahondar en ese interrogante, es importante notar que María sabía lo que es la verdadera adoración. Estaba conciente que implicaba más nutrir o cultivar una relación que responder apropiadamente a un mensaje o cantar la correcta combinación de himnos y cantos de alabanza. Sabía que Jesús quería su corazón mucho más que su liturgia, sin importar lo hermosa que ésta pudiera ser. Él quería hacerla suya. Por eso es que se sintió libre para dejar de esforzarse y se sentó a sus pies. Su disponibilidad fue más preciosa que cualquier forma externa de adoración.

Soy conciente que en algunas áreas de la cultura cristiana, en nuestro tiempo, se mira casi como un sacrilegio sugerir que Dios podría estar buscando algo más que nuestra alabanza. Hemos elevado la adoración a un nivel que casi llega a ser una idolatría. Hemos dicho que la adoración es nuestro máximo llamamiento, y eso es importante.

Sin embargo, los ángeles ya proveen la alabanza. Ellos rodean el trono de Dios 24 horas al día, 7 días a la semana. Usted y yo no fuimos creados para agregar voces al coro angelical. Fuimos creados para disfrutar una relación íntima con el Rey del universo.

Por favor, créame que amo mucho la alabanza a Dios. ¡No sabe usted cuánto me gusta y cuánto la necesito! Es algo hermoso y profundo expresarle mi amor a Dios con palabras y cantos. Hay algo sagrado en el hecho de levantar mis manos, de unir mi voz a la suya y exaltar a Jesús con mis labios. ¡No puedo vivir sin hacerlo!

Pero si ahí termina mi relación con Jesús, me la estoy perdiendo. De veras me la estoy perdiendo. Porque es posible convertirse en adicto a la alabanza sin llegar a ser realmente adictos a Dios. Y cuando eso sucede, nuestra adoración deja de ser adoración y se convierte en un ritual más. Con un poco de movimiento, quizás, y una linda melodía, pero al final son sólo palabras y emociones religiosas y vacías.

La esencia de este asunto es: si realmente deseo ser amiga de Dios, no será mi servicio ni mi alabanza lo que le proporcione alegría. Mas bien creo que el tipo de relación que Cristo más anhela puede ejemplificarse mejor con el hermano que dijo e hizo menos.

En esa hermosa aceptación que Jesús le ofreció a Lázaro, y en el amor con que Lázaro le respondió, descubrimos las buenas noticias del evangelio. La libertad de la tiranía de las obras y de las contorciones espirituales que solemos hacer con el intento de agradar a nuestro Dios y de apaciguarlo. En la historia de Lázaro Dios nos invita a relajarnos, a disfrutar simplemente de un tiempo con él.

Porque Jesús no está buscando siervos.

No está buscando admiradores que le adoren.

Jesús está buscando amigos.

Y pareciera que, cuánto menos probable la amistad, mucho mejor.

¿Fanáticos o amigos?

Desde el punto de vista del mundo, Jesús no parecía muy selectivo al elegir sus amistades. Andaba con lo peor de lo peor: los despreciados, los olvidados, los que pasaban desapercibidos. Una de las acusaciones contra nuestro Salvador fue que era "amigo de publicanos y de pecadores" (Lucas 7:34).

En gran parte la acusación era cierta. Jesús parecía mucho más interesado en un corazón sincero que en una vida perfecta, y encontró muchos buscadores sinceros entre aquellos a quienes la elite de religiosos llamaba "pecadores". Pero Jesús no vino a salvar sólo a los pobres y a los estropeados. Vino por la gente común y también por aquellos fuera de lo común.

"A todos los que le recibieron, proclama Juan en su evangelio, a los que creen en su nombre, les dio potestad de ser hechos hijos de Dios" (Juan 1:12). No era necesario actuar o llegar a un cierto estándar religioso para ser amigo de Jesús. Sencillamente necesitaba aceptar lo que él tenía para ofrecer. Sin embargo, la profundidad y el tipo de amistad dependían totalmente de la respuesta de la persona que recibía la invitación. Y hoy continúa siendo de la misma manera.

Mientras oraba por este capítulo y por lo que el Espíritu Santo quería decir aquí, hubo algo que me quedó muy claro. Aunque rodeado de personas que proclaman su nombre, Jesús aún anhela un amigo verdadero. Un amigo de verdad, en todo sentido, con quien se puede contar en todo momento. Un amigo que le importe lo que a él le importa. Que busque darle consuelo y alegría a su corazón, sin condiciones. Sin intereses ocultos. Sin listas secretas de peticiones.

Hay algo muy interesante. En el griego existen dos palabras diferentes para "amigo": *philos* y *hetairos*. Es una pena que la traducción al español para ambos términos sea la misma palabra, porque estos términos no podrían ser más distintos.

La primera palabra, *philos*, es el término que utilizó Jesús en Juan 11:11 cuando llamó a Lázaro "nuestro amigo". Describe a alguien "amado, querido, que se hizo amigo". Es un término de intimidad reservado para aquellos que tenemos cerca del corazón.

El segundo término griego, *hetairos*, puede traducirse como "camarada o compañero", pero se refiere a una relación de inferior intimidad. Según Spiros Zodhiates:

> *Hetairos* se refiere a aquellos camaradas o compañeros que eran, en su mayoría, seguidores de un jefe. No necesariamente eran compañeros con el propósito de ayudar al jefe, sino con el fin de obtener los mayores beneficios posibles... El verbo *hetairé* básicamente significa conservar la compañía de alguien o establecer y mantener una amistad falsa, ostentosa, pretenciosa, falaz y engañosa.[7]

Suena como nuestra sociedad actual, ¿verdad? Nos incitan a codearnos con las personas, a contactarlas, a aprovechar las circunstancias. Haga lo que sea necesario, nos dicen. Debe aparentar ser amigable. Pero asegúrese de que sea conveniente a sus fines personales.

Por otro lado, "La verdadera amistad," explica Zodhiates, "se expresa con el verbo *phileo*... que significa hacer propios los intereses de otra persona sin intenciones egoístas."[8]

Hetairos, en su uso más benigno, llegó a describir a los pupilos o discípulos de los maestros o rabíes. Pero este no es el término que Jesús utilizó para hablar de sus discípulos en Juan 15:15 (ni en ningún otro lado, si vamos al caso). "Ya no os llamaré siervos," les dijo Jesús, "porque el siervo no sabe lo que hace su señor; pero os he llamado amigos [*philous* [9]], porque todas las cosas que oí de mi Padre, os las he dado a conocer."

Jesús no estaba fomentando una relación de negocios distante con quienes le seguían. Él buscaba una comunión íntima que transformara a sus discípulos en verdaderos participantes de la naturaleza divina (2 Pedro 1:4). Jesús prometió tomar todo lo que Dios le había dado, sabiduría, autoridad y el mismo carácter de Dios; y compartirlo con ellos libremente. Qué regalo increíble. Qué oportunidad más allá de la imaginación.

Pero no todos apreciaban la generosidad del Señor. Al menos uno de sus discípulos buscaba lo suyo propio: reconocimiento humano, poder, una posición.

Cuando Judas traicionó a Jesús en el Getsemaní, con el afán de hacer que el Hijo de Dios obedeciera y se declarara rey, Jesús respondió con estas sorprendentes palabras: "Amigo, ¿a qué vienes?" (Mateo 26:50).

¿Qué clase de amigo soy?

Todos hemos tenido amigos necesitados y dependientes que obtenían más de lo que daban en la relación. Aunque pueda ser un poco doloroso, piense en las siguientes características de un buen amigo, pero con respecto a su relación con Dios. ¿Qué puntuación se pondría? Marque cada una de las opciones así: Con 5 (Siempre); 4 (Generalmente); 3 (A veces); 2 (Casi nunca), o 1 (Nunca).

_____ **Sabe escuchar:** Está interesado en cómo le va a la otra persona. Hace buenas preguntas. Oye a la otra persona; no interrumpe. Le interesan los sentimientos del otro. No le molesta el silencio.

_____ **Requiere poca atención:** No está necesitado en exceso. Está seguro de sí mismo y de la amistad, no es exigente. No requiere atención constante. No teme pasar tiempo a solas.

_____ **No se ofende con facilidad:** Es paciente cuando sus necesidades no son satisfechas de inmediato. Piensa lo mejor, no lo peor, de la otra persona. No saca conclusiones apresuradas. Está dispuesto a hablar.

_____ **Está disponible:** Siempre está cuando se le necesita. Está dispuesto a dejar de lado sus planes para ayudar a su amigo. Es rápido en devolver las llamadas y no ignora los correos electrónicos.

_____ **No es celoso:** No se enoja cuando su amigo pasa tiempo con otras personas o cuando alguien recibe un regalo mejor. No ignora a la otra persona ni deja notas desagradables cuando está molesto.

_____ **Es amable:** Es pronto para dar palabras de afecto y afirmación genuinas. Busca formas prácticas de expresar amor. Crea un paraíso de seguridad con su dulzura y amabilidad.

_____ **Es confiable:** Se le puede confiar información delicada y situaciones difíciles. No le da lugar al chisme. No traiciona a un amigo. Es fiel hasta la muerte.

Ahora sume su puntaje. Una puntuación de 29-35 sugiere que está muy bien encaminado a ser un verdadero amigo de Dios. Si sacó entre 22 y 28 significa que quisiera ser un buen amigo pero necesita trabajar en algunas áreas. Entre 14 y 21 significa que quizás no se dio cuenta que debía ser amigo de Dios. Entre 7 y 13 significa que no le importa.

(Nota: Si tuvo una baja puntuación, es probable que también tenga problemas en sus relaciones con las demás personas. El modo en que expresamos nuestro amor por Dios afecta de forma directa nuestro amor por las demás personas, y viceversa).

El que ama la limpieza de corazón,
por la gracia de sus labios tendrá la amistad del rey.
Proverbios 22:11

¿Amigo? Ese nombre suena raro para un traidor. Hasta que lo leemos en el griego. Entonces nos damos cuenta que Jesús le estaba diciendo a Judas exactamente lo que había demostrado ser.[10]

Hetairos. Un camarada egoísta. Un oportunista. Un fanático. Un amigo desleal y engañador.

¿Lázaro o Judas? ¿*Philos o hetairos*? ¿Qué seremos?

En última instancia, depende de nosotros.

¿Lo amo a Él o me amo a mí?

Me pregunto. Quisiera saber.

¿Y qué si esa duda sobre su amor, esa indiferencia crónica, e incluso esa tendencia hetairos que nos afecta a tantos cristianos pudieran resolverse con un simple cambio de pensamiento? ¿Con un cambio de actitud? ¿Con sólo ablandar y abrir el corazón frío y endurecido por los años?

Conozco a una mujer que jamás logró entender y aceptar el amor de su esposo. Como consecuencia de haber crecido en un hogar disfuncional, nunca logró sentirse digna ni segura. Su esposo ha hecho todo lo posible para convencerla de que la ama, pero nada es suficiente.

"Sencillamente no siento que me ame," lloriquea mientras hace una lista de todas las cosas en las cuales él la ha decepcionado, a pesar de que el hombre tiene dos o tres trabajos para darle todo lo que ella desea. Hasta parece que estuviera feliz con sus miserias, porque se han vuelto parte de su identidad. Con respecto a su pobre esposo… bueno, se ve cansado. Muy cansado. Jamás abandonará a su esposa ni su matrimonio. La ama demasiado. Pero veo que poco a poco él comienza a retroceder en lugar de avanzar. Lo veo encogerse de hombros ante el descontento de su esposa, con ese cansancio que sólo la falta de esperanza puede traer.

Seguirán casados pero me temo que, a menos que ella abra su corazón al amor de su esposo, terminarán convirtiéndose en dos desconocidos. Dos personas solitarias durmiendo en una cama. Dos personas con suficiente amor como para saciar sus almas castigadas por la sequía… si tan sólo ella abriera su corazón al fluir de ese amor.

Su esposo no es el único que sufre sus exigentes diatribas. El Padre celestial también recibe su parte. Él la ha amado desde el principio y le ha demostrado su amor, pero si usted hablara con ella, no lo notaría. Según ella, nada de lo que él hace es suficiente.

Cuando algún hijo de Dios recibe una bendición, ella se cruza de brazos y levanta el mentón. "Bueno, supongo que Dios te ama más que a mí," dice, tratando de demostrar que su sarcasmo es sólo una broma. Cuando alguien recibe las respuestas a sus oraciones, ella comenta con cinismo: "Parece que tendré que pedirte a ti que ores. Es obvio que a mí no me escucha."

No siempre es así de cínica. A veces, en especial cuando (según su parecer) Dios se porta bien, ella está bastante alegre. Pero cuando las cosas no suceden como ella quiere, no tarda en difamar a Dios. Jamás lo admitirá, por supuesto.

Ella cree que sólo está relatando los hechos. Pero yo puedo sentir su amargo resentimiento… y no soy la única.

Si bien estoy segura de que Dios jamás la dejará, no puedo evitar preguntarme cómo se siente él cuando la oye difamar su nombre. Cansado, sin duda. Desanimado, quizá. Porque Dios sabe que no puede obligarla a recibir su amor. No puede reclamarle que responda a su amistad. Es una decisión que sólo ella puede tomar.

Sin embargo, a diferencia de su marido, Dios no tolera divas malcriadas y exigentes. Así como las ama, también las disciplina. Pero es posible que nunca logren valorar su dedicación y mucho menos sentirla si siguen insistiendo, consciente o inconscientemente, con que: "Él no me ama de la forma que yo necesito que me amen."

Hablemos bien del nombre de Dios

¿No es extraño que los seres humanos tengamos la tendencia de ver a Dios como nuestro siervo en lugar de verlo como nuestro amo? ¿No insistimos en que cumpla nuestras órdenes en lugar de estar listos para cumplir las suyas? Con razón fracasamos tanto en nuestro santo intento de ser sus amigos.

"He aquí un pensamiento solemne para quienes desean ser amigos de Dios," escribió Charlos Haddon Spurgeon una vez. "Un amigo debe mostrarse amigable, y comportarse con ternura y cuidado para con su amigo"[11]

Permítame hacerle una pregunta. ¿Habla bien de Dios? El nombre de Dios, ¿está a salvo en su boca?

Cada vez oigo a más y más cristianos que hablan mal de Dios. En lugar de recordar su fidelidad, su bondad, todo lo que nuestro Padre celestial hizo por nosotros en el pasado, estamos obsesionados con los problemas del presente, nos revolcamos y acusamos a Dios de habernos abandonado. Difamamos su nombre en lugar de recurrir a él. En vez de acercarnos al amor que necesitamos con tanta desesperación, lo empujamos y rechazamos.

Sé que esto nos sucede con facilidad. La amnesia espiritual es una patología muy común entre los cristianos. Todos hemos sufrido por momentos olvidos impíos. Olvidos que eclipsan todas las bondades o respuestas a nuestras oraciones que recibimos en el pasado. Al igual que los israelitas de la antigüedad, solemos ser lentos para expresar gratitud cuando las cosas van bien, y rápidos para quejarnos cuando van mal. Pero, amado, si usted y yo queremos llegar a ser verdaderos amigos de Dios, debemos comenzar a actuar como tales.

George Müller, uno de los más grandes misioneros del siglo diecinueve, abrió cientos de orfanatos para albergar a niños indigentes de Inglaterra. No fue tarea fácil. Y aun así, en el ocaso de su vida, escribió: "En las más grandes dificultades, en las pruebas más difíciles, en la pobreza y necesidades más profundas, [Dios] jamás me ha fallado. Él siempre apareció en mi ayuda, pero fue por la obra de su gracia que me permitió confiar en él. Me deleito en hablar bien de su nombre."[12]

¡Oh, cuánto deseo que eso se haga verdad en mi vida!

Anoche, después de haberme ido por unos días para escribir, regresé de sorpresa a la ciudad para pasar una noche con John y Joshua.

La mayoría de los niños, en especial los más pequeños, les cobran a sus padres el hecho de haberse ido. Ya sea consciente o inconscientemente, el niño se retrae un poco, para que el padre o la madre sepa que está molesto por haberlo dejado. Incluso si lo dejó con papá o mamá. Incluso si él o ella preparó sándwiches de mantequilla de maní y jalea todos los días, y lo llevó al parque y a comer pizza y la noche siguiente le permitió ver una película.

No importa, usted lo abandonó. Debe sentir el dolor que él sufrió.

Yo soy tan afortunada. Josh no hace esa clase de escenas. En lugar de retraerse, es el primero en recibirme en la puerta.

"¡Mami!, grita mientras dobla la esquina y se zambulle en mis brazos. "¡Te extrañé!" Luego me lleva a la sala y me cuenta todo lo que hizo en el día, y lo del parque, y lo de la pizza.

"Te quiero," me dice arrastrando sus palabras de forma dulce y suave, mientras me abraza fuerte. Tan fuerte como puede, hasta que nos convertirnos en un corazón de peluche en el sofá, bebiendo sorbo a sorbo el amor que compartimos.

Josh no me recibe con indiferencia. No espera a que yo lo busque. Él se me acerca de un salto.

Esa es la relación, la amistad, que Jesús desea tener con cada uno de nosotros. Y gracias a la cruz se abrió una puerta hacia la presencia de Dios que nos permite correr directo a sus brazos, reclamar con todo gozo su loco amor por nosotros y cantar con confianza las palabras de aquella vieja y maravillosa canción:

Amistad con Jesús,
Divina comunión,

> Dulce y bendita,
> Jesús es mi amigo.[13]

> Pero la verdadera amistad debe ser recíproca, una relación en la que ambas partes dan y reciben amor. Cualquier cosa inferior conduce a una relación de meros conocidos.

Aunque tengo el honor y el privilegio de tener a Jesús como mi amigo, mi más profundo deseo es ser su amigo también. Proclamar cuánto lo amo y luego demostrarlo en maneras prácticas y visibles, rindiendo mis querencias y deseos y amar a mi Salvador teniendo en mente su mejor interés.

Un verdadero *philos*. Un amigo genuino, devoto y leal, de principio a fin.

Y amaba Jesús a Marta, a su hermana y a Lázaro.
Cuando oyó, pues, que estaba enfermo,
se quedó dos días más en el lugar donde estaba.
Vino, pues, Jesús, y halló que hacía ya cuatro días
que Lázaro estaba en el sepulcro.
Entonces Marta, cuando oyó que Jesús venía,
salió a encontrarle; pero María se quedó en casa.
Y Marta dijo a Jesús: Señor, si hubieses estado aquí,
mi hermano no habría muerto.
Mas también sé ahora que todo lo que pidas a Dios,
Dios te lo dará. Y dijo: ¿Dónde le pusisteis?
Le dijeron: Señor, ven y ve.
Jesús lloró.

Juan 11:5-6, 17, 20-22, 34-35

4

Cuando el amor se tarda

Recuerdo lo emocionada que estaba la mañana de Navidad, cuando tenía doce años. De todas las cosas que había pedido, la única cosa que de verdad deseaba era la que realmente necesitaba (una ráfaga de practicidad que no volvería a experimentar hasta casi tener cuarenta, cuando mi único deseo Navidad fue una buena silla para mi oficina).

Aquel año todo lo que quería era un metrónomo: un artefacto mecánico que, según mi profesor de piano, me ayudaría a mejorar el ritmo. Si bien había tomado clases de piano durante seis años, todavía luchaba con uno de los principios más importantes y fundamentales de la música: llevar el tiempo.

La partitura que tenía frente a mí podía decir adagio, que significa "lento". Pero yo solía tocar casi todas las composiciones en allegro, o sea "rápido". Muy, muy rápido. Una vez que entendía las notas y mis dedos aprendían su parte, intentaba seguir las indicaciones del compositor en la parte superior de la hoja. Trataba de interpretar su visión de la obra. Pero tarde o temprano, más allá de las indicaciones, terminaba acelerándola. No podía evitarlo. Y si bien he mejorado mucho desde mis comienzos, aún suelo adelantarme al tiempo.

En mi defensa, debo decir que aquel regalo de Navidad años atrás no fue de mucha ayuda. El movimiento de los metrónomos debe dar un *tic, tic, tic* nítido, pero mi regalo tenía un pequeño problema. Un problema que era directamente opuesto al que yo tenía. En lugar de adelantarse, el metrónomo parecía hacer una pequeña pausa antes de marcar el siguiente tiempo. ¡Y eso de verdad me irritaba!

Le pedí a mi madre que fuera a la tienda a cambiarlo por otro. Incluso me quejé con mi profesor. Pero ambas fuentes nos dijeron que el artefacto estaba bien. Sí, estaban de acuerdo en que la pausa era un poco irritante, pero el tiempo propiamente dicho lo marcaba a la perfección. Me dijeron que yo necesitaba ajustarme al metrónomo, en lugar de pretender que el metrónomo se ajustara a mí.

Ese es un principio fundamental en la vida, y muy valioso por cierto, que todavía estoy tratando de aprender. Porque por alguna razón, pareciera que a Dios le encantaran las pausas. Y no existe otro lugar dónde sea tan evidente su propensión a esperar que en la historia de Lázaro.

La inoportuna paciencia del amor

"¿Aún no ves a nadie?" Me imagino a Marta preguntándole a su hermana mientras se acerca a ella a la entrada de la casa. "¿Jesús ya debería estar aquí, no lo crees?"

Pero María no contesta. No puede. En cambio se da vuelta para esconder sus lágrimas y entra a la casa para ver a su hermano.

"¿Dónde estás, Señor?" susurra Marta mientras fija su mirada en el camino polvoriento buscando siluetas en el horizonte o al menos una figura solitaria que regrese con novedades sobre la llegada de Jesús, que sigue sin concretarse. Pero no hay nada, sólo un pájaro llamando a otro en la distancia y el sol que quema su cabeza.

"¿Dónde estás, Señor?" se duele Marta en voz baja.

De repente se oye un gran gemido que viene del fondo de la casa y Marta sabe que su hermano ha muerto. Luego de un último y desesperado vistazo al camino, entra apresurada y encuentra a María colapsada junto a la cama de Lázaro, acariciando y besando la mano sin vida de su hermano, mientras las lágrimas corren por sus mejillas.

¿Por qué? La profunda tristeza en los ojos de María magnifica el propio dolor de Marta, mientras su hermana pide ayuda para entender lo que está sucediendo. "¿Por qué Jesús no vino?" pregunta. "¿Por qué Lázaro tuvo que morir?"

Pero no hay respuestas; ninguna que tenga sentido. Las dos hermanas entonces hayan consuelo donde pueden. Cada una en los brazos de la otra.

Y en el dolor de ellas encontramos ecos de nuestra propia confusión. Y también de nuestras preguntas… de tantas y tantas preguntas.

¿Qué debemos hacer cuando Dios no actúa como pensamos que debería actuar, como nos enseñaron que lo haría? ¿Qué debemos sentir cuando nuestro Salvador pareciera no estar presente y nos deja solos luchando contra el dolor?

Esos tiempos difíciles, esas noches oscuras del alma,[1] sacuden nuestras convicciones y hacen temblar los fundamentos de nuestra fe. El autor Brian Jones escribe sobre estas crisis en su libro *Second Guessing God* [Cuestionando a Dios]:

> El año antes de graduarme del seminario perdí mi fe en Dios. Hacer eso no es algo muy inteligente, lo admito. No hay un mercado laboral muy grande para pastores ateos. Pero no pude evitarlo. La vida se estaba volviendo muy dolorosa. La verdad estaba muy abierta a la interpretación personal… Mis dudas parecían apilarse una sobre otra, pidiendo a gritos mi atención. Antes de saber lo que estaba sucediendo, mi fe había perdido ese olor a automóvil nuevo, y me encontraba luchando por no caer.[2]

Después de leer cada uno de los libros que pudo encontrar sobre la existencia de Dios, y luego de soportar meses de noches sin sueño, Jones llegó al punto de sufrir ataques de pánico, depresión profunda e incluso pensamientos de suicidio. Una noche, desesperado, llamó a un ex profesor suyo que había sido su mentor.

"Durante los últimos seis meses la duda ha comenzado a paralizarme," le dijo al anciano. "Es como cuando el agua se retira de la playa. [La duda] está arrastrando toda la arena bajo mis pies, y me hundo cada vez más y más profundo, y más profundo, y más aún. Si esto continúa, no quedará nada dónde permanecer en pie."[3]

En lugar de responder con un sermón sobre la necesidad de la fe, el sabio profesor reconoció la lucha de Brian, e incluso le compartió sobre su propia batalla contra la incredulidad. Pero luego agregó estas últimas palabras: "Brian, escucha bien lo que te digo. Cuando el último grano de arena haya desaparecido, descubrirás que estás parado sobre una roca."[4]

"Esas últimas palabras me salvaron," escribe Jones. Le ayudaron a resistir lo suficiente hasta que finalmente recuperó la esperanza.[5]

No, sus dudas no desaparecieron de la noche a la mañana, pero las palabras del profesor le dieron a Jones la luz necesaria como para comenzar el camino de regreso a casa. Lejos del desierto de dudas donde deambulaba, de regreso al único lugar que era verdaderamente seguro.

El corazón de Dios.

¿Me ama Dios?

En Juan 11:5-6 vemos esta extraña paradoja: "Y *amaba* Jesús a Marta, a su hermana y a Lázaro. *No obstante*, cuando oyó que estaba enfermo, se *quedó* dos días más en el lugar donde estaba" (énfasis agregado).

Jesús lo amaba… y a pesar de eso se quedó donde estaba.

Lo amaba… pero no apareció en el momento esperado.

¿Cómo es eso posible?, gritan nuestros corazones. No tiene sentido.

Y ese es el meollo del asunto ¿verdad? Porque cuando dudamos si somos amados, la mayoría de las veces encontramos la raíz de esa duda en contradicciones no muy distintas a las de la historia de Lázaro. Inconsistencias como las que experimentó Braian Jones. Dudas que devoran el lecho de rocas de nuestra fe, y nos dejan tambaleando, luchando por respirar mientras intentamos mantener nuestras cabezas fuera del agua.

Estoy segura de que el dolor que María y Marta sintieron debe haber amenazado con inundar todo lo que conocían y creían acerca de Jesús. Sin lugar a dudas las dejó tambaleando.

Juan 11:20 nos dice: "Entonces Marta, cuando oyó que Jesús venía, salió a encontrarle; pero María se quedó en casa."

Dos respuestas distintas y además inesperadas de dos hermanas muy diferentes. Lo extraño es que la hermana que antes cuestionó el amor de Jesús, "Señor, ¿no te importa?" (Lucas 10:40) es la que ahora corre hacia él. Mientras que la hermana que se sentó a los pies del Maestro en dulce comunión permanece en la casa, paralizada por el dolor.

¿Por qué cree que reaccionaron de formas tan distintas?

No tengo manera de saberlo con exactitud, pero creo que fue porque la fe de Marta ya había sido probada, mientras que María recién estaba entrando en el fuego de la prueba (como lo hacemos todos tarde o temprano).

Aunque parezca extraño, puede haber sido la negativa del Señor a hacer lo que Marta le pidió lo mismo que le permitió encontrar lo que su corazón más necesitaba en ese día lleno de aflicción.

En lugar de ayudarla cuando Marta había demandado más colaboración en la cocina, Jesús sólo respondió: "Marta, Marta, afanada y turbada estás con muchas cosas. Pero sólo una cosa es necesaria" (Lucas 10:41-42). Con esas palabras expuso el problema más grande de Marta, y su más profunda necesidad.

Ella no necesitaba más ayuda en la cocina. Ella necesitaba "una cosa": a Jesús mismo. Aunque su reprensión debe haber dolido, creo que Marta guardó esas palabras en el corazón. Ella se humilló y abrazó la corrección del Señor, lo que le permitió abrazar también el amor de Jesús. Con razón fue ella quien salió corriendo a encontrar a Jesús luego de la muerte de su hermano.

En algún punto de aquel primer momento de prueba, creo que Marta descubrió tres verdades maravillosas e inquebrantables que todos necesitamos saber. Tres hechos, sólidos como la roca, en los que nuestros corazones pueden descansar:

1. Dios es amor, por lo tanto soy amado.
2. Dios es bueno, por lo tanto estoy seguro.
3. Dios es fiel, por lo tanto todo va a estar bien. Porque Dios es incapaz de hacer algo que sea menos que extraordinario.[6]

Marta escogió confiar en el amor de Dios y en su fiel bondad. Por esa razón, cuando llegaron los tiempos difíciles, ella también pudo confiar en su soberanía, es decir, en su derecho a hacer lo que él juzgue mejor, cuándo y cómo él quiera hacerlo.

Por eso es que Marta pudo correr a Jesús, caer a sus pies, y derramar su corazón con dolor pero también con esa entrega que trae un dulce descanso. "Señor," clamó, "si hubieses estado aquí, mi hermano no habría muerto. Mas también sé ahora que todo lo que pidas a Dios, Dios te lo dará" (Juan 11:21-22).

Aquí tienes la pluma de mi vida, Señor, estaba diciendo Marta. *Escribe el final de la historia. Porque tú haces bien todas las cosas.*

Entregarle la pluma de mi vida siempre ha sido un proceso difícil para mí. Es que tengo tan buenas ideas de cómo debe escribirse mi historia, y más aún las historias de las personas a quienes amo. Siempre la pequeña ayudante de Papá, soy rápida para darle a Dios listas y listas de ideas alternativas en caso de que mi Plan A no concuerde con el suyo. "¿No te gusta ese, Señor? Bueno, ¿qué te parecen mi Planes B, C, D y E? Vaya, incluso tengo un Plan Z, si quisieras oír más al respecto."

Lamentablemente, ninguno de mis planes y tramas me han acercado a Dios jamás. De hecho, por lo general logran lo opuesto.

Mientras estoy ocupada maquinando, mi Padre está listo para seguir adelante, así que deja que me las arregle por mi cuenta. *Ese no era mi plan, Joanna*, susurra con amor cuando finalmente decido preguntarle. *Si deseas caminar conmigo, debes rendirme tu itinerario y confiar en el mío.*

Rendirse fue la clave de la transformación sorprendente de Marta, y es la clave para nuestra transformación también. Porque cada vez que elegimos renunciar a nuestro itinerario y rendirnos al plan de Dios, le damos libertad para que haga su voluntad en nuestras vidas. Más importante aún, cuando elegimos buscar "una cosa", conocer a Cristo, en lugar de elegir constantemente hacer "nuestras cosas", descubrimos las grandes profundidades de su amor, así como Marta lo hizo.

Lamentablemente, es fácil hablar de estos conceptos, pero es muy difícil ponerlos en práctica. En especial cuando el tiempo de Dios es distinto al nuestro.

¿Quién sigue a quién?

A mi hijo Josué le encanta la música. De vez en cuando, lo encuentro meneando la cabeza o brincando en la silla. "¿Qué haces, cariño?" le pregunto.

"Oh, estoy bailando al ritmo de la música en mi cabeza," contesta con una sonrisa tímida.

Qué pasatiempo adorable… para un pequeñito. Pero no es una práctica recomendable para una mujer adulta y madura como yo. Porque, como he dicho, la música en mi cabeza suele tener algunas variaciones, en especial cuando hablamos del ritmo.

Ha pasado tiempo desde la última vez que toqué el piano en una orquesta de adoración. Está comprobado que era muy traumático para todos los involucrados, en especial los pobres bateristas. Mi anticipación al primer tiempo del compás suele transformar a los músicos más dulces en bombas de tiempo a punto de estallar de frustración. Así que la mayoría de las veces, como no quiero hacer que otros pequen, elijo quedarme fuera de la orquesta.

Pero el nuevo sistema de sonido de nuestra iglesia tiene auriculares stupendos que permiten que el baterista anule el sonido del piano, si es ecesario, y que el pianista aumente el volumen de la batería, si así lo prefiere. sí que ahora, con esa ayuda, intento tocar con la banda de vez en cuando.

Mi tendencia a adelantarme al primer tiempo es la misma de siempre, ero estoy aprendiendo a tocar con el compás correcto y no contra él. Lo ue hago es:

- aumentar el volumen del compás en mis auriculares,
- ceder el control al baterista,
- relajarme e ir al ritmo de la música que él marca.

Porque esto es lo que sucede. Joe, nuestro baterista, tiene ritmo. Yo no… alvo que decida seguirlo a él.

Estoy tratando de aplicarlo también a mi andar cristiano. Si me muevo l tiempo del Espíritu y le cedo el control de mi vida, podré danzar al ritmo le la música que Dios tiene sonando en *su* cabeza, en lugar de moverme y lisfrutar al ritmo de las pequeñas melodías pegadizas que suenan en mi nterior. Porque cuando permito que el Señor sea quien toque la base musical ara mi vida, descubro una banda sonora con matices exquisitos, mucho nás hermosa de lo que yo podría llegar a componer por cuenta propia.

Pero seguir el tiempo de Dios, danzar a su ritmo, confiar en su soberanía… odo eso puede ser difícil para una persona como yo, a quien le cuesta seguir

EL ARTE DE ESPERAR

¿Ha sentido la necesidad de adelantarse a Dios? A lo largo de toda la Escritura se nos anima a desarrollar el arte, absolutamente importante y verdaderamente difícil, de esperar. Warren Wiersbe comparte tres declaraciones de las Escrituras que le han ayudado a pulir su paciencia en oración; tres principios que aplica cada vez que una situación lo pone nervioso y se siente tentado a apurar a Dios:

1. "Estad firmes, y ved la salvación que el Señor hará hoy con vosotros" (Éxodo 14:13).
2. "Espera… hasta que sepas cómo se resuelve el asunto" (Rut 3:18).
3. "Estad quietos, y conoced que yo soy Dios" (Salmo 46:10).

"Cuando usted espera en el Señor en oración", escribe Wiersbe, "no está perdiendo el tiempo, lo está invirtiendo. Dios lo está preparando tanto a usted como a las circunstancias para que sus propósitos se lleven a cabo. Sin embargo, cuando llegue el momento justo para actuar en fe... no se atreva a perder el tiempo."[7]

Pero los que esperan en el Señor tendrán nuevas fuerzas; levantarán alas como las águilas; correrán, y no se cansarán; caminarán, y no se fatigarán.
Isaías 40:31

el ritmo y le encanta tener el control. Porque cuando de eso se trata, soy una niñita obstinada que quiere las cosas a su manera en casi todas las áreas de su vida.

Afortunadamente, tengo un Padre que me ama a pesar de eso. Me ama como soy, y me quiere demasiado como para dejarme así. Él insiste en que siga su ejemplo para "crecer" en mi salvación (1 Pedro 2:2); ser más como Jesús y menos como yo.

Y aquí hay implícito otro problema. Porque crecer, amigo mío, puede ser algo muy difícil.

NO MÁS CAPRICHOS

Desde que nacemos, solemos asociar el amor con lo que los demás hacen (o dejan de hacer) por nosotros, y la rapidez con que lo hacen. Aprendemos a sentirnos amados cuando alguien satisface nuestras necesidades pronto.
Y eso está bien... para un bebé.

Lamentablemente, muchos de nosotros nunca dejamos atrás esa visión

LA BENDICIÓN DE TENER PROBLEMAS

De todas las frases de la Biblia, quizás ninguna es tan difícil de entender como la respuesta que dio Jesús por la muerte de Lázaro en Juan 11:15. "Me alegro por vosotros, de no haber estado allí", les dice a sus discípulos. Pero luego agrega la razón: "para que creáis." Jesús sabe que algunos de los regalos más maravillosos de la vida vienen envueltos en decepciones, y que aprendemos a creer más cuando estamos en el fuego del dolor. Escuche los pensamientos de Charles Haddon Spurgeon sobre este pasaje:

Si desea arruinar a su hijo, no deje que sepa lo que es la adversidad. De niño llévelo en sus brazos, cuando sea joven que juegue en su regazo, y cuando sea un hombre siga malcriándolo, y logrará producir un perfecto idiota. Si quiere evitar que sea útil en el mundo, protéjalo de todo tipo de esfuerzo.

No le permita pasar por pruebas. Séquele el sudor de su delicada frente y dígale: "Querido hijo, nunca más tendrás que pasar por una tarea tan ardua como esta." Téngale lástima cuando debería ser castigado; concédale todos sus deseos; evítele todas las decepciones, guárdelo de todos los problemas, y de seguro le enseñará a ser un réprobo y a que le rompa el corazón. En cambio, póngalo donde debe trabajar, expóngalo a dificultades, póngalo en riesgos intencionadamente, y de esa manera lo convertirá en un hombre, y cuando deba hacer el trabajo de un hombre y soportar las pruebas de un hombre, estará capacitado para ambas.

Mi Maestro no acuna con delicadeza a sus hijos cuando ya deben correr solos; y cuando comienzan a correr, no saca un dedo acusador para que se inclinen ante él, sino que los deja caer y lastimarse las rodillas, porque entonces tarde o temprano caminarán con más cuidado, y aprenderán a mantenerse en pie con la fuerza que les otorga la fe.

Como verán, queridos amigos, Jesucristo estaba alegre… se alegró de que sus discípulos fueran bendecidos con dificultades. Piensen en esto ustedes que están pasando por problemas esta mañana, Jesucristo tiene compasión se ustedes, pero aun así obra con sabiduría. Él dice: "Me alegro por vosotros, de no haber estado allí."[8]

Es verdad que ninguna disciplina al presente parece ser causa de gozo, sino de tristeza; pero después da fruto apacible de justicia a los que en ella han sido ejercitados.

Hebreos 12:11

del amor. Cuando lloramos (o lloriqueamos con creatividad, como me gusta a mí decirlo), esperamos una respuesta inmediata.

"Me estoy muriendo de sed," le digo a mi esposo mientras vamos de vacaciones por la carretera y él sólo piensa en llegar.

"No te estás muriendo," responde con calma; aunque después de tantos años de matrimonio una supone que él sabe que esa no es la respuesta que estoy esperando.

Lo que quiero es que John busque de inmediato la próxima salida donde pueda comprar algo para beber. *Si me amara* de verdad, pienso (y a veces comento en voz alta), *llamaría de antemano para asegurarse de que tengan la bebida dietética que me gusta y un baño cuatro estrellas donde descargar el litro de soda que me tomé.*"

Está bien, no así exactamente… por lo general. Pero es triste ver que a veces tengo el mismo espíritu infantil y exigente en mi relación con Dios; aunque ya no sucede con tanta frecuencia como antes, porque, al igual que mi esposo, mi Padre celestial ha demostrado ser difícil de manipular.

Dios sabe que si él consintiera mi insaciable deseo de ayuda instantánea en cada una de mis crisis, yo jamás crecería. En realidad no lo haría. En cambio, estaría lisiada emocionalmente y no podría ponerme en pie por mi propia cuenta, y mucho menos caminar.

Crecer en madurez significa aprender a aceptar que una satisfacción puede retrasarse. Tanto los niños como los adultos deben aprender a:

- adaptarse a situaciones que no sean perfectas,
- esperar a que sus necesidades sean satisfechas,
- aceptar que lo que quieren puede retrasarse, o incluso puede ser negado.

Sin esto, tendremos como resultado divas exigentes y bebés terroristas.

"Cuando yo era niño," escribe Pablo en 1 Corintios 13:11, "hablaba como niño, pensaba como niño, juzgaba como niño; mas cuando ya fui hombre, dejé lo que era de niño." Una parte de dejar la inmadurez, en sentido espiritual, implica dejar de lado el concepto errado de que si Dios nos ama, tiene que actuar según nuestros requisitos, nuestras instrucciones, y en especial según nuestros tiempos.

¿Por qué es esto importante? Medite en las palabras de Pablo en el versículo 12: "Ahora vemos por espejo, oscuramente; mas entonces veremos cara a cara. Ahora conozco en parte; pero entonces conoceré como fui conocido."

Ya sea que nos demos cuenta o no, vemos sólo una pequeña parte del cuadro completo. Dios, por el contrario, lo ve todo. Es por eso que se rehúsa a obrar únicamente según nuestras recomendaciones. Si bien Dios nos anima a que le presentemos nuestras necesidades e incluso nuestro lloriqueo creativo, a acercarnos "confiadamente al trono de la gracia" con toda confianza de que oye y responde nuestras oraciones (Hebreos 4:16), debemos dejarle a él las respuestas a nuestras peticiones.

Si queremos superar nuestras dudas con respecto a su amor, debemos aceptar la realidad de que las respuestas de Dios no siempre son las que estamos esperando. En lugar de decirnos que sí a cada una de nuestras peticiones, como todo padre sabio, suele responder con un no.

Y a veces, como en el caso de Lázaro, su respuesta es… espera un poco.

Mucho tiempo de espera

Según la Biblia, cuando Jesús llegó a Betania, Lázaro había estado muerto por cuatro días. ¿Por qué Jesús decidió esperar tanto antes de resucitar a su amigo?

Algunos estudiosos dicen que fue para contrarrestar la creencia judía de que el alma quedaba suspendida sobre el cuerpo durante tres días antes de marcharse.[9] Eso explicaría por qué las familias demoraban la sepultura: porque aunque poco probable, existía la posibilidad de enterrar a alguien vivo, y querían evitar semejante tragedia. Por el lapso de tres días el alma podría volver a entrar en el cuerpo. Pero, ¿cuatro días? Bueno, cuatro días significaba que toda esperanza se había perdido. Era tiempo de despedirse del ser amado y seguir adelante.

Entonces la tardanza de Jesús tiene sentido, supongo. Pero confieso que me pregunto si era realmente necesario hacer que sus amigos pasaran por una espera tan dolorosa. ¿No podría haberlo hecho de otra manera?

Podemos hacer la misma pregunta en muchas otras historias de la Biblia.

¿Era realmente necesario dejar que José se pudriera en la celda de una prisión egipcia durante tanto tiempo? ¿Era de vital importancia que los israelitas vagaran por el desierto durante cuarenta años y que Noé anduviera a la deriva durante meses en un bote que quizá le llevó un siglo construir? ¿Era realmente necesario que transcurrieran veinticinco años para que Abraham pasara de la promesa a los pañales? Sin duda debía haber métodos más simples, más rápidos para que Dios cumpliera sus propósitos.

Uno puede argumentar que esas demoras prolongadas eran por causa de las personas. Si José no hubiera presumido frente a sus hermanos, y si los israelitas le hubieran creído a Dios en lugar de creer lo que veían sus ojos dubitativos y si Abraham no hubiera tenido a Ismael, ¿quién sabe qué rumbos habrían tomado? Después de todo, ¿se necesitaban cien años para construir el arca? ¿O era que Noé postergaba sus tareas como lo hago yo, y tenía una tendencia a ver el mandato de Dios más como un pasatiempo que como el propósito de su vida?

No lo sabemos. Pero lo bueno de todas estas historias es la asombrosa verdad que, más allá de lo que suceda, los planes de Dios tarde o temprano prevalecen. A pesar de nuestros tropiezos y torpezas, e incluso de nuestra absoluta rebeldía, nuestro Dios poderoso llevará a cabo su obra de una u otra forma.

Aunque a mí me parezca que puede encontrar mejores recursos, Dios sistemáticamente elige hacerlo a través de nosotros. Ya sea que lo hagamos de forma voluntaria (aunque imperfecta) o que tengamos que ser arrastrados (pataleando y gritando) hasta nuestra Nínive por medio de un pez especial, "el consejo del Señor permanecerá" (Proverbios 19:21).

Pero, por favor, recuerde que aunque Dios está comprometido con sus planes divinos, no es indiferente a nuestro dolor. No somos peones en un juego de ajedrez celestial. Somos sus hijos, "escogidos… y amados" (Colosenses 3:12).

Y amados, por cierto, hasta el punto de provocar sus lágrimas.

Recuerde que Jesús lloró frente a la tumba de Lázaro (Juan 11:35).

Los teólogos no se ponen de acuerdo sobre qué causó las lágrimas de Jesús. Algunos dicen que fue la rabia por la obra del pecado en el mundo, mientras que otros hablan de la falta de fe de las personas que le rodeaban. Pero más allá de eso, yo creo que lo que hizo llorar a Jesús fue el amor. A pesar de que sabía que su amigo saldría caminando perfectamente bien, en perfecta vitalidad, el Señor aun así lloró con la familia que tanto amaba.

Jesús sintió el dolor de ellos y su corazón también se conmovió.

Amor que perdura

Cuando el escritor de Juan 11:6 nos cuenta que Jesús se quedó donde estaba dos días más, la palabra griega que usa es *meno*. "Este término no sólo significa que se quedó o que se tardó dos días más," afirma Jerry Goebel, "sino también significa que *soportó* dos días más. Esto le da un nuevo sentido al versículo. Nos dice lo difícil que fue para Jesús contenerse de salir corriendo a estar con Lázaro."[10]

Ah, el gran dominio propio de Dios. No solemos pensar en lo difícil que debe ser para un Padre que nos ama tanto contenerse para no salir corriendo a rescatarnos una y otra vez. Sin embargo, en su misericordiosa sabiduría, lo hace porque sabe que hay algo mucho mejor y un plan más excelente en marcha.

Jesús mismo resistió constantemente las súplicas de acelerar su obra; en cambio, decidió vivir según el metrónomo del cielo. Resistió la presión de su madre para obligarlo a hacer un milagro (Juan 2:4), y no se dejó provocar por sus hermanos que querían que fuera a Jerusalén antes de su hora (Juan 7:6-10). Aunque nuestro Señor hizo ambas cosas, a su tiempo, las hizo según el horario que el Padre le había dado y no por la instigación de las voces demandantes que lo rodeaban.

Así que cuando Jesús les dijo a sus discípulos "Lázaro ha muerto; y me alegro por vosotros, de no haber estado allí, para que creáis" (Juan 11:14-15), estaba declarando su propósito, así como también su amor. No era que a él no le importaba. Simplemente estaba mostrando que había mucho más en juego de lo que sus amigos pensaban. Se estaba preparando el escenario para que Jesús fuera crucificado y Dios glorificado. Y todo esto, la tragedia y el triunfo, el dolor y el gozo, era parte de lo que llegarían a ser los fundamentos de nuestra fe.[11]

"Porque Cristo cuando aún éramos débiles," afirma Pablo en Romanos 5:6, "*a su tiempo* murió por los impíos" (énfasis agregado). Los eventos que anticipaban la cruz no sucedieron muy pronto. Tampoco acontecieron demasiado tarde.

Lo mismo sucede con los eventos de nuestras vidas, no importa cómo nos sintamos. Si descansamos en la bondad de Dios y confiamos en la planificación soberana y perfecta de sus tiempos, podremos decir junto con David: "En tu mano están mis tiempos" (Salmo 31:15). Incluso cuando la arena del reloj parece acabarse y la espera es la tarea más difícil de lograr.

Porque no se puede acelerar una resurrección, ni se puede apresurar a Dios. Él tiene su propio velocímetro interior y, por mucho que queramos, no existe un pedal que podamos pisar para acelerarle el paso.

Sin embargo, podemos contar con esto: Dios está obrando. Aunque pareciera que nos dirigimos hacia un funeral, algo maravilloso nos espera del otro lado.

Y una vida totalmente nueva, que empezó hace cuatro días.

Cristo revelado en usted y en mí para que todo el mundo crea.

Dejemos atrás los "por qué"

Uno de los testimonios más poderosos que escuché en mi vida fue el de un hombre que nació con parálisis cerebral. David Ring es un evangelista y comunicador impactante, aunque al principio es difícil entender sus palabras. Pero cuando usted lo escucha con atención, es sumergido en un mensaje que es nada menos que transformador.

"¿Por qué, mamá?" solía preguntarle David a su madre cuando los niños se burlaban de él. "¿Por qué tuve que nacer así?" A pesar de ser un niño sobremanera brillante, estaba atrapado en un cuerpo que no seguía sus órdenes y que constantemente se enredaba en su tartamudez.

Dios le dio a esa dulce madre la increíble sabiduría para enseñarle a su hijo que quizá la mejor pregunta no era por qué.

"Preguntar por qué es como ir con un balde a un pozo de agua y volver siempre con el balde vacío," le dijo su madre. "En cambio," le dijo, "la pregunta debería ser: *¿Qué puedo llegar a ser?*"[12]

Qué concepto poderoso y transformador para todos nosotros especialmente cuando estamos atrapados y enredados en los por qué de la vida. Porque cuando de eso se trata, la vida está llena de preguntas que no tienen una respuesta adecuada.

¿Por qué algunos niños nacen sanos y otros no?

¿Por qué algunas madres tienen que pedir comida en las zonas desérticas de África, mientras que madres como yo tenemos un supermercado a la vuelta de cada esquina y podemos elegir entre múltiples estantes de comida?

¿Por qué personas buenas y piadosas sufren muertes lentas y dolorosas mientras que otras, depravadas e insensibles, disfrutan de una larga y cómoda vida, con fondos bancarios abundantes y varias residencias de descanso?

¿Por qué a veces parece que Dios nos ha olvidado?

Interrogantes como estos persiguieron a los escritores del Antiguo Testamento. "¿Por qué me has desamparado?" clamó el salmista (Salmo 22:1)."¿Por qué es prosperado el camino de los impíos?" preguntó el profeta Jeremías (Jer. 12:1). Y otra vez: "¿Para qué salí del vientre? ¿Para ver trabajo y dolor, y que mis días se gastasen en afrenta?" (Jeremías 20:18).

Estas preguntas también persiguieron a mi amigo Tom.[13] Él era un buen chico que comenzó a venir a la iglesia cuando tenía once años. Su madre, que tenía problemas con las adicciones, solía beberse el dinero de la renta, y Tom vivía con miedo de quedar en la calle. Durante sus años de adolescente, por algunos períodos solía quedarse en casa con nosotros.

A pesar de que Tom amaba a Jesús, luchaba con las tentaciones, en especial con los por qué de su vida, que era tan difícil. Pero jamás olvidaré la mañana en que subió las escaleras a los saltos, con una sonrisa como sólo él podía tener en ese rostro de dieciséis años. "¡Lo entendí, mamá Joanna!" dijo. "Ahora sé por qué mi vida es como es."

Con una enorme sonrisa, me dio su Biblia y señaló lo que había estado leyendo. Era la historia de Juan 9 donde Jesús sanó a un hombre que había nacido ciego. Los discípulos (y casi todos los demás) asumieron que el pecado, ya sea el del ciego o el de sus padres, era la razón de la discapacidad de aquel hombre. Pero Jesús dijo otra cosa, y eso era lo que había emocionado tanto a Tom.

"Mira, mamá," me dijo, señalando el versículo, y luego señalándose a sí mismo con una sonrisa, mientras lo leíamos juntos.

"No es que pecó éste, ni sus padres, sino para que las obras de Dios se manifiesten en él" (Juan 9:3).

Oh, que todos podamos tener perspectiva para ver más allá de la miseria presente y vislumbrar el milagro que podemos llegar a ser. Pero ese tipo de visión sólo puede venir cuando nos rendimos y dejamos nuestros anhelos y deseos para vivir sólo para Dios.

MIENTRAS TANTO

Cuatro días es mucho tiempo de espera para una resurrección, en especial cuando uno siente que se ha perdido toda esperanza. En sentido figurado, quizás usted esté viviendo esas 96 horas de oscuridad antes del amanecer, preguntándose si alguna vez acabarán esos 5.760 minutos. Cada uno de los 345.600 segundos de espera parecen retener la respiración de forma interminable, al igual que mi metrónomo errático, dejándole suspendido entre la duda y la fe; preguntándose si el acorde disonante que está sobre su vida alguna vez se resolverá.

Cuatro días es mucho tiempo de espera. Lo sé. Yo misma he soportado esos días eternos.

Pero créame, nada de todo eso es tiempo perdido.

Aunque quizás estemos "atribulados en todo," nos recuerda Pablo en 2 Corintios 4:8-9, "no estamos angustiados". Aunque quizá nos sintamos "en apuros", no estamos "desesperados". Aunque seamos "perseguidos", no estamos "desamparados". Aunque "derribados", no estamos "destruidos".

En cambio, el apóstol (que sufrió tres naufragios y fue golpeado y apedreado) nos recuerda que llevamos "en el cuerpo siempre por todas partes la muerte de Jesús, para que también la vida de Jesús se manifieste en nuestros cuerpos" (versículo 10).

¡Cómo amo la ironía creativa de Dios! Pablo nos dice que las mismas circunstancias y hechos que creemos que nos destruirán, aquellas que generan muchos de nuestros *por qué*, pueden servir como catalizadores para la plena manifestación de Cristo en nuestras vidas, es decir, Cristo revelado en usted y en mí de forma más clara y precisa. Después de todo, como nos recuerda 1 Pedro 1:7, pasamos por estas pruebas para que "nuestra fe, mucho más preciosa que el oro, el cual aunque perecedero se prueba con fuego, sea hallada en alabanza, gloria y honra cuando *sea manifestado Jesucristo*" (énfasis agregado).

En otras palabras, no se enrede tanto con lo que está ocurriendo momentáneamente como para perder de vista lo que está en marcha.[14] Porque si escuchamos el ritmo de un Baterista diferente y dejamos el control de nuestras vidas bajo su guía soberana y amorosa, no habremos desperdiciado nada.

Ni la espera, ni las preguntas, ni siquiera el dolor.

Aunque no logre ver la mano de Dios, puede confiar en su corazón.

Vino, pues, Jesús, y halló que hacía ya cuatro días que Lázaro estaba en el sepulcro. Betania estaba cerca de Jerusalén, como a quince estadios; y muchos de los judíos habían venido a Marta y a María, para consolarlas por su hermano. Entonces Marta, cuando oyó que Jesús venía, salió a encontrarle; pero María se quedó en casa. Y Marta dijo a Jesús: Señor, si hubieses estado aquí, mi hermano no habría muerto. Mas también sé ahora que todo lo que pidas a Dios, Dios te lo dará. Jesús entonces, al verla llorando, y a los judíos que la acompañaban, también llorando, se estremeció en espíritu y se conmovió, y dijo: ¿Dónde le pusisteis? Le dijeron: Señor, ven y ve. Jesús lloró.

Juan 11:17-22, 33-35

5

Morando en los sepulcros

Jamás olvidaré mi primera visita a Nueva Orleáns hace más de una década. Fue antes de la tragedia del huracán Katrina, así que la ciudad que encontré estaba llena de vida. Pude disfrutar unos buñuelos azucarados en el Café Du Monde, mirar cosas en las pintorescas tiendas de antigüedades y escuchar todas las variantes del jazz que pueda imaginar, interpretadas por los músicos callejeros. Pero de todas las cosas que vi… las mansiones previas a la guerra civil, los carruajes tirados por caballos, los barcos a vapor con sus ruedas gigantescas que navegan apacibles por el Mississippi; lo que más recuerdo son los cementerios.

Como la ciudad está construida por debajo del nivel del mar, las sepulturas tradicionales no son posibles en la mayor parte de la ciudad de Nueva Orleans. "Los ataúdes tarde o temprano flotan hasta la superficie," nos dijo un guía turístico mientras pasábamos por un enorme cementerio. "Esa es la razón de los mausoleos exteriores, tanto los individuales como los grandes, que tienen familias enteras."

Si bien el bus pasó rápidamente por el cementerio, la vista era bastante gráfica y un poco perturbadora. No pude superar la soledad y la inolvidable tristeza que parecía envolver el cementerio como ese musgo español que cae de los árboles. Y eso era a plena luz del día.

No puedo llegar a imaginar lo que sería visitar un lugar así de noche… y mucho menos vivir ahí.

Viviendo entre las tumbas

Una de las cosas que más amo acerca de Jesús es que nos busca donde sea que estemos. Jamás se cansa de salirse de su camino para encontrarnos, cruzando tanto los mares tormentosos como la misma eternidad, tan sólo para hacernos suyos.

Lucas 8:22 nos dice: "Aconteció un día, que [Jesús] entró en una barca con sus discípulos, y les dijo: Pasemos al otro lado del lago." Según la secuencia de tiempo que nos da Mateo, Jesús acababa de terminar unas semanas ajetreadas. Luego de predicar el sermón del monte a miles de personas (Mateo 5-7), sanó a un leproso y después viajó a Capernaum para sanar a un paralítico que sufría, y a una suegra con fiebre, la de Pedro (Mateo 8:1-15). Esa misma noche, según el relato bíblico, "trajeron a él muchos endemoniados, y con la palabra echó fuera a los demonios, y sanó a todos los enfermos" (Mateo 8:16).

Luego de tan extenuante agenda, Jesús dio la orden de cruzar al otro lado del lago. Pero lo que a primera vista parece ser el intento de un hombre cansado de alejarse de tan demandante multitud, en realidad no era nada por el estilo. Jesús no estaba sugiriendo una vía de escape. Sólo se estaba moviendo hacia el siguiente destino que Dios había registrado en la guía náutica de su ministerio desde el principio de los tiempos.

Aunque de un lado del lago quedaba una multitud de personas necesitadas, Jesús los dejó para suplir las necesidades de una sola persona que estaba al otro lado. Un alma solitaria y atormentada que vivía en los suburbios de la civilización. En un cementerio.

Observe cómo se describe esta escena en Marcos 5:2-5:

> Y cuando salió él de la barca, en seguida vino a su encuentro, de los sepulcros, un hombre con un espíritu inmundo, que tenía su morada en los sepulcros, y nadie podía atarle, ni aun con cadenas. Porque muchas veces había sido atado con grillos y cadenas, mas las cadenas habían sido hechas pedazos por él, y desmenuzados los grillos; y nadie le podía dominar. Y siempre, de día y de noche, andaba dando voces en los montes y en los sepulcros, e hiriéndose con piedras.

Qué imagen triste y escalofriante de una vida atormentada. Y sin embargo uando el hombre vio a Jesús, corrió y cayó a sus pies. "¿Qué tienes conmigo, esús, Hijo del Dios Altísimo? gritó tan fuerte como pudo. "¡Te conjuro por)ios que no me atormentes!" (versículo 7).

¿No es sorprendente cómo lo que más necesitamos suele ser lo que menos jueremos? Aquí estaba un hombre que vivía rodeado de muerte. Sin embargo, :uando se encontró con el Señor de la Vida, el único que podía liberarlo, no e pidió ayuda. En cambio su primera respuesta fue de autoprotección. "¿Qué quieres conmigo? ¡No me tortures!"

Entiendo que fueron los demonios que estaban en él quienes dijeron :stas palabras. Pero creo que es importante observar que Satanás suele usar :sos mismos argumentos para evitar que nos rindamos a la obra de Dios en 1uestras vidas. *Será muy doloroso, susurra. ¿Por qué no te deja en paz? De todas maneras, ya no hay esperanzas para ti.*

Es mucho más fácil quedarte en esclavitud, sugiere. *Es cierto, deambulas en el cementerio de tu pasado día y noche, intentando encontrar respuestas. Es verdad, tu mente está atormentada y te mutilas en un intento de anular el dolor. No puedes dormir, y por momentos lloras sin control. Pero eso es mucho menos doloroso que lo que Dios te tiene preparado*, insinúa el Engañador. *¿Quién sabe lo que Dios puede obligarte a hacer si le permites que te libere?*

¿Algo de todo esto le suena familiar? A mí, seguro que sí. Porque muchos de nosotros hemos pasado más tiempo entre los sepulcros de lo que quisiéramos admitir.

ATRAPADO ENTRE LA VIDA Y LA MUERTE

Según los estudiosos, no era poco común que las tumbas en Israel estuvieran habitadas por vagabundos y dementes. A veces los cementerios eran los únicos lugares donde los marginados podían encontrar refugio.[1]

Cavadas a los lados de las colinas o en la tierra, muchas de las tumbas de los tiempos de Jesús estaban compuestas de dos recámaras. La primera recámara, a veces llamada vestíbulo, sólo tenía un asiento de piedra, mientras que la recámara interior presentaba un nicho (o nichos) labrado, donde se colocaba el cuerpo.[2] Se esperaba un año para que la descomposición hiciera su trabajo y luego se ponían los huesos en un osario, una caja de piedra, para que la tumba estuviera disponible cuando otro miembro de la familia falleciera.[3]

Me imagino que los marginados hacían sus viviendas en los vestíbulos.

Era como una especie de lugar intermedio: los protegía del exterior, pero no era exactamente el lugar de los muertos.

HERIDAS, COMPLEJOS Y MALOS HÁBITOS

El programa Celebremos la Recuperación acuñó la frase: "heridas, complejos y malos hábitos" para describir las cosas que nos separan de la verdadera libertad. Analice estas tres categorías (las definiciones son mías). Pídale al Espíritu Santo que le revele las cosas que pueden ser una fortaleza en su vida.[4]

Heridas (Cosas dolorosas que nos han ocurrido.)	Son sucesos a los que volvemos una y otra vez, situaciones que nos han definido. Lo que nos hiere tiene la capacidad de mantenernos atados. (Ejemplos: traumas, abusos, abandono, fracasos, pérdida de seres queridos)
Complejos (Barreras mentales y emocionales que provocan actitudes y patrones de comportamiento nocivos.)	Esto afecta el modo en que respondemos a las experiencias y tratamos a las personas. Suelen estar motivados por la ira o el temor. (Ejemplos: agresividad, pasividad, deseo crónico de agradar a los demás, rabia, intolerancia)

Lamentablemente, esta "recámara intermedia" describe el lugar en que vivimos muchos de nosotros, metafóricamente hablando. Suspendidos en el medio, entre la vida y la muerte, hemos aceptado a Jesús como nuestro salvador, pero aún no nos hemos lanzado a vivir la vida abundante que Cristo vino a darnos. En cambio, nos refugiamos en la oscuridad, cautivos de nuestras heridas, complejos y malos hábitos.[5] Esos recuerdos dolorosos que no podemos quitarnos de encima. Esas actitudes que nos tienen atados.

Malos hábitos (Adicciones y comportamientos compulsivos tan frecuentes que se han convertido en parte de nosotros.)	Ya sean principalmente físicos o emocionales, estos hábitos se han arraigado a través de la repetición y ejercen un control del cual sentimos que no podemos escapar. (Ejemplos: alcoholismo, drogadicción, trastornos alimenticios, compras compulsivas, pornografía)

"Mas yo haré venir sanidad para ti,
y sanaré tus heridas," dice el Señor.
Jeremías 30:17

Esos mecanismos de protección a los que recurrimos una y otra vez, a pesar de que nos llevan a cualquier lugar menos al corazón de Dios.

La Biblia los llama "fortalezas" (2 Corintios 10:4). Y es un buen nombre, porque verdaderamente son fuertes bastiones en nuestras vidas.

Esto puede explicar la inercia espiritual que muchos cristianos parecen sentir.

Según REVEAL, la encuesta que realiza la Willow Creek Association en las iglesias, más del 20 por ciento de los encuestados fueron lo suficientemente honestos como para admitir que se sienten "estancados" en su caminar con Dios. Si bien no necesariamente están retrocediendo en la fe, reconocen que no están avanzando, y eso les preocupa; y en efecto, debe preocuparlos.[6]

Para llegar a experimentar una vida abundante en Jesús, debemos darle a Dios acceso a todo lo que nos está deteniendo, incluso los esqueletos o secretos vergonzosos que guardamos en nuestros armarios y en los rincones obscuros de nuestras mentes. Porque él desea ayudarnos a "destruir fortalezas y toda altivez que se levanta contra el conocimiento de Dios" (2 Corintios 10:4-5).

LAS TUMBAS SOMOS NOSOTROS

Quizás le parezca extraño pensar que los creyentes aún pueden morar en tumbas. Creo que todos hemos sentido esa lucha intensa de despojarnos del "viejo yo" para poder experimentar el "nuevo yo" del que escribe Pablo en Efesios 4:22-24. Las fortalezas son esos lugares en nuestras vidas donde el pecado y el "viejo yo" establecieron un centro de poder tan grande que nos sentimos incapaces de librarnos de su control. Amamos a Jesús, pero permanecemos atrapados en nuestras recámaras intermedias, incapaces de vivir en libertad.

Así que, ¿dónde se siente estancado en su caminar cristiano?

¿Qué heridas le mantienen atado emocionalmente, congelado en aquel momento de fracaso o dolor del pasado?

¿Qué complejo le hace tropezar y lo atrapa una y otra vez?

¿Qué mal hábito o comportamiento le controla y hace que se sienta perpetuamente derrotado y constantemente deshecho? (Vea el Apéndice D: "Identifiquemos las fortalezas")

Me resulta muy interesante que en griego, la raíz de la palabra "tumba" significa "evocar o recordar".[7] ¿No es cierto que la mayoría de nuestras fortalezas tienen sus orígenes en nuestro pasado? Ya sea por una experiencia vivida hace años o porque se arrepiente de algo que sucedió ayer, muchos de nosotros andamos por la vida con dolores y enojos o con culpas y condenaciones que opacan cada uno de nuestros movimientos.

En cierto sentido somos como el hombre atormentado del que nos habla Marcos 5. Vivimos en cementerios llenos de recuerdos. Deambulando por la vida con un lamento perpetuo por las cosas que hemos hecho y las que nos han hecho. Podemos esforzarnos por dejar atrás los errores y remordimientos, las heridas y decepciones, pero separados de Dios se nos hace difícil escapar del círculo de vergüenza y auto-rechazo que mantiene nuestro "pecado… siempre delante de…" nosotros (Salmo 51:3). Lamentablemente, los mecanismos de defensa a los que nos aferramos para suprimir el dolor sólo logran reafirmar las fortalezas en nuestra alma.

Por eso Pablo oró para que seamos santificados "por completo": espíritu, alma y cuerpo (1 Tesalonicenses 5:23). Aunque Cristo es rey de nuestro espíritu, hay reinos en nuestra alma que aún deben recibir las buenas noticias. Lugares en nuestra mente, voluntad y emociones que se deben poner bajo su control.

Porque cada ámbito en nuestra vida donde Satanás se siente relativamente cómodo es una fortaleza de la cual necesitamos ser liberados. Una tumba que Dios desea abrir.

Ya sea que esté luchando por escapar de una tumba que usted mismo creó, o una formada por fuerzas externas, puedo asegurarle que todas y cada una de las fortalezas de nuestra vida tienen su origen en el mismo infierno. No se trata tanto del odio que Satanás le tenga a usted personalmente. Es que él desprecia a Dios. Y hará todo lo posible por lastimar, herir y afligir el corazón del Padre. Porque sucede que usted, muy amado, es la niña de su ojo (Zacarías 2:8). Cada vez que Satanás mira el corazón de Dios, lo ve a usted, ve su reflejo. No es sorpresa entonces que desde el momento en que usted nació, le ha estudiado para descubrir y atacar sus puntos débiles.

¿Es tímido por naturaleza? Bueno, entonces Satanás hará que sea humillado con frecuencia para así reforzar su temor a las personas. ¿Es propenso a preocuparse y estar ansioso? Procurará que parezca que todo y todos están en su contra. ¿Lucha con el orgullo y con la ira? Hará que las personas lo provoquen, ¡y que lo hagan muy a menudo!

Quizás se pregunte por qué el enemigo de su alma se tomaría semejante trabajo. Estoy convencida de que a Satanás no le importa tanto que usted se vaya de su reino. En realidad está más comprometido en evitar que sea eficaz en el reino de Dios. Él tiene tantos métodos como individuos existen, pero su objetivo principal es sujetarlo y encerrarlo. Sepultarlo para consumirlo. Encarcelarlo con tantas mentiras, inseguridades y sentimientos de culpa que el regalo de vida que Dios planeó para usted quede oculto. Bien sujeto, envuelto y olvidado en un rincón de su celda.

¿Cómo lo hace? Duda tras duda, insulto tras insulto, Satanás pone binoculares invertidos en nuestros ojos y distorsiona nuestro valor y nuestro potencial, hasta que olvidamos incluir a Dios. Hasta que, como los israelitas, decimos: "Éramos nosotros, a nuestro parecer, como langostas; y así les parecíamos a [nuestros enemigos]" (Números 13:33).

El Acusador se regodea haciendo una costura tras otra en nuestra alma para re-definirnos, cosiendo dobladillos con pequeños puntos que reducen nuestras vidas y desmantelan nuestra fe.

Esto es lo que tú eres, susurra mientras corta el hilo. *No serás más que esto,* afirma complacido mientras nos retuerce para ocultar los puntos y el tejido restante, y mientras crea nuestras mortajas. Y se esfuerza por convencernos de cuán diminutos somos, según él.

LUCHE POR SU VIDA

No hace mucho recibí una carta de una lectora preocupada. Si bien disfrutaba de mis libros, ella creía que yo le daba mucha importancia al diablo. ¿Acaso no sabía yo que Jesús había vencido a Satanás al levantarse de los muertos?

Le escribí y le aseguré que sí lo sabía. De hecho, el triunfo de Jesús sobre Satanás es uno de los pilares de mi fe. No sólo creo que Cristo venció la muerte con su resurrección, sino que también destruyó las obras de Satanás. En el proceso, lo humilló por completo. La paráfrasis bíblica *El Mensaje* describe ese hecho victorioso de forma preciosa: "En la cruz, [Cristo] despojó de su falsa autoridad a todos los tiranos espirituales del universo y los hizo desfilar desnudos por las calles" (Colosenses 2:15).

En otras palabras, Satanás no tiene poder alguno sobre usted y sobre mí. Pero por favor, querido amigo, no se sorprenda cuando él quiera convencerle de lo contrario.

Aunque el destino final del diablo y su destrucción ya han sido decretados, él continúa esforzándose en causar problemas. Primera de Pedro 5:8 nos dice: "Vuestro adversario el diablo, como león rugiente, anda alrededor buscando a quien devorar." La obra de Cristo en la cruz le arrancó los dientes y las garras a ese león, pero aún aúlla y ronda por la tierra buscando formas de intimidar a los hijos de Dios.

Rick Renner lo describe de la siguiente manera en su magnífico libro devocional *Sparkling Gems from the Greek* [Joyas resplandecientes del griego]:

> Debido a la muerte de Jesús en la cruz y su resurrección de los muertos, las fuerzas del infierno *ya* fueron derrotadas. Sin embargo, aunque legalmente se les despojó de toda autoridad y poder, siguen merodeando por la tierra, llevando a cabo las obras del mal como bandidos, criminales, vándalos y matones. Y al igual que los criminales que se rehúsan a obedecer la ley, estos espíritus inmundos seguirán actuando sobre esta tierra ¡hasta que algún creyente utilice la autoridad que Dios le ha dado para hacer que se cumpla su derrota![8]

Yo deseo aprender a usar esa autoridad. No quiero vivir esclava de un tirano que ya no tiene derecho a humillarme y aterrorizarme, atormentándome con culpa y falta de confianza. Estoy cansada de darle más difusión en mi mente al diablo de la que le doy al Espíritu Santo.

Mi amiga Kathy dejó de oír las mentiras de Satanás hace ya varios años, y fue maravilloso poder ver el cambio en su vida. Un poco tímida por naturaleza, de niña dejó que las burlas de sus compañeros de escuela la convencieran de que iba a estar mejor si se quedaba callada. Bien callada. Tanto que Kathy se convirtió en un patito feo profesional. Siempre quedaba fuera del grupo, casi no hablaba y rara vez participaba en la escuela. Incluso, después de entregar su vida a Jesús y trabajar en el ministerio, todo lo hacía detrás de escena. Ella era la abeja obrera, siempre había alguien más que podía ser reina.

Pero cuando Kathy comenzó a profundizarse en la Palabra, el Espíritu Santo empezó a iluminar su vida, y la ayudó a ver las cosas de manera diferente. Llegó a darse cuenta que había estado viviendo a medias desde su niñez, atrapada durante décadas en una recámara intermedia de temor y rechazo. A medida que reconocía que necesitaba sanidad, Dios empezó a despertar un arrojo en su interior que creó una pequeña luz de esperanza. Quizá, a lo mejor, existía una vida más allá de la tumba a la que se había acostumbrado.

Ha sido un gozo personal ver a mi amiga emerger de la tumba como emerge una hermosa mariposa de su capullo. Ya no está más en las sombras; da estudios bíblicos para mujeres y sirve como directora del ministerio femenil de nuestra antigua iglesia, coordinando y conduciendo varios eventos de magnitud.

Todo eso gracias a que dejó de cooperar con los intentos de Satanás de acorralarla, encerrarla, y bloquearle el acceso a la vida que Dios deseaba que viviera.

VIVIR EN TUMBAS: ¿QUÉ PROVECHO TIENE?

Mientras escribo estas palabras, tengo frente a mí una caja de madera. Tiene unos dieciocho centímetros de altura y treinta y tres centímetros de longitud y profundidad. Está pintada de un color nuez intenso, y a decir verdad, es muy bella. De sólo mirarla recuerdo la revelación que tuve mientras la usaba en una conferencia para esposas de pastores hace varios años.

"Hay tanto potencial en cada una de nosotras, les dije a las mujeres mientras sostenía la caja. Tantos dones que Dios desea que compartamos con el mundo. Cuando le damos acceso a Dios a cada parte de nuestro corazón, el Espíritu Santo hace que nuestra vida se abra a todas las posibilidades que él ha puesto en nuestro interior." Para demostrar esa verdad había diseñado la caja de modo que sus lados cayeran y quedaran en posición horizontal. Se las mostré totalmente abierta y disponible, lista para exhibir cualquier tesoro que tuviera en su interior.

"Pero Satanás también es consciente de nuestro potencial, agregué. Él se ocupa de evitar que nos abramos. De hecho, hace todo lo necesario para desbaratar los planes de Dios y oscurecer sus propósitos para nosotras."

Con esas palabras comencé a cerrar la caja abierta frente a mí.

"Satanás quiere acorralarte...," dije mientras levantaba los dos lados. El golpe de la madera resonó con fuerza en aquel recinto.

"Él quiere encerrarte...," y levanté con fuerza los otros dos lados.

Luego tomé la parte superior y la coloqué de un golpe en su lugar. "Y quiere confinarte."

Con el impacto de la tapa, un pequeño escalofrío retumbó en el recinto, y en nuestros corazones también. Cada una de nosotras había sentido el impacto de las artimañas de Satanás en un momento u otro.

Ese sonido me era muy familiar, porque acababa de atravesar por un momento muy difícil en el ministerio. Un tiempo marcado por malentendidos dolorosos y sentimientos de traición muy profunda. Sabía lo que era sentirme acorralada, encerrada y confinada dentro de mi tumba.

Pero más tarde esa misma noche, mientras observaba la caja sentada en el cuarto del hotel, de repente me di cuenta de algo más.

Había una parte de mí que le *gustaba* la tumba.

Me sentía segura allí, rodeada de muros de autocompasión. Esa tapa, esa ofensa, prometía aislarme de todo lo que me había causado dolor. A pesar de que había luchado por perdonar y seguir adelante, había momentos en que todavía prefería el refugio de la tumba que la plena luz del día.

Eso es lo que hace que las tumbas sean tan atractivas. Aíslan las cosas que no queremos enfrentar. Nos separan y aíslan del dolor.

O así lo creemos.

Destronando las mentiras

Muchos de nosotros creemos la mentira de que somos incapaces de encontrar la verdadera libertad. Las cadenas parecen demasiado fuertes y las mentiras demasiado sólidas. Sin embargo, si utilizamos estos cuatro principios poderosos de forma regular, permitiremos que el Espíritu Santo nos libere:

Revelación. Pídale a Dios que le muestre en qué área (o áreas) está atado. ¿Qué fortaleza le impide experimentar libertad? ¿Qué mentira se ha exaltado por sobre el conocimiento de Dios? No intente descubrirlo por cuenta propia. Pida la ayuda del Espíritu.

Arrepentimiento. Pídale perdón a Dios por las veces que buscó refugio en su fortaleza en lugar de buscarlo en él. Pídale al Espíritu Santo que tome su pecado, y las mentiras que lo acompañan, y que los aleje de su vida como "está lejos el oriente del occidente" (Salmo 103:12).

Renuncia. Renuncie en oración a toda autoridad que le haya dado a Satanás al aferrarse a su fortaleza en lugar de a Dios. Nombre cada pecado en voz alta, renuncie a las ataduras a esa mentira o comportamiento, y devuélvale la autoridad de esa área a Jesucristo.

Reemplazo. Busque pasajes de las Escrituras que estén relacionados con su fortaleza o con la mentira que creía. Escríbalos y colóquelos en un lugar donde pueda leerlos varias veces al día. Memorice y cite esos versículos cada vez que sienta que la mentira intenta reafirmar su poder.

Tenga en cuenta que no estoy describiendo cuatro pasos sencillos para sanar sus heridas, complejos y malos hábitos. Las fortalezas pueden tener un componente físico o espiritual, por lo tanto, el proceso para ser libre puede ser prolongado y complicado. Superar ciertas fortalezas, en especial las adicciones, puede requerir mucho tiempo e incluso otro tipo de ayuda, como consejería profesional, grupos de ayuda, oración e intercesión, y más.

Porque las armas de nuestra milicia no son carnales,
sino poderosas en Dios
para la destrucción de fortalezas.

2 Corintios 10:4

Y eso nos promete el Engañador. Nos hace creer que nuestros sepulcros nos ofrecen dos cosas de vital importancia, sin las cuales no podemos vivir:

1. *Identidad:* lo que define quiénes somos y qué nos ha sucedido.
2. *Seguridad:* sentido de protección de fuerzas externas.

¡Qué insensatez! Cualquier identidad o seguridad que podamos encontrar dentro de nuestras fortalezas es una ilusión… y muy peligrosa. Si bien puede ser aterrador pensar en vivir fuera de nuestras tumbas, es un riesgo que debemos asumir si deseamos la libertad que Jesús nos ofrece.

Lo que nos lleva de regreso a donde comenzamos este capítulo.

A la historia de un hombre poseído por demonios que vivía en un cementerio.

Lo que Jesús puede hacer con nuestras tumbas

¿No se alegra de que Jesús no se sienta intimidado por nuestras tumbas? De hecho, parece que se desviara de su camino para encontrarlas. Eso es exactamente lo que sucedió cuando dejó a la multitud en la costa de Galilea. Luego de abordar un bote, él y sus discípulos comenzaron a cruzar el lago que los separaba de un hombre con una profunda necesidad.

De camino se encontraron con una terrible tormenta que amenazaba su vida. (¿No es interesante cómo todo el infierno trata de desatarse justo antes de las más grandes manifestaciones de Dios?) Pero ese mismo poder que calmó la tormenta pronto calmaría a un hombre atormentado.

Veamos lo que sucedió cuando Jesús pisó tierra, porque ese encuentro puede enseñarnos algunas cosas respecto a lo que Dios puede hacer cuando le damos acceso a nuestras vidas sepulcrales.

Lo primero que aprendemos del relato del evangelio es que el hombre poseído corrió a encontrarse con Jesús y "se postró a sus pies" (Lucas 8:28). Aunque los demonios que tenía seguramente le gritaban que huyera del Hijo de Dios, de todas maneras fue hacia él. Y esa es una muy buena noticia. Nos dice que a pesar de que el enemigo de nuestras almas hace todo lo posible para separarnos de Jesús, es incapaz de mantenernos lejos de él si decidimos acercarnos.

De hecho, podemos deducir de este versículo que cuando nos postramos ante Jesús, forzamos a que Satanás también se postre. ¿No le encanta eso?

Segundo, esta historia destruye el mito de que nuestras tumbas, las fortalezas que el diablo usa para mantenernos atados, nos ofrecen algo remotamente parecido a nuestra verdadera identidad.

Cuando Jesús le preguntó al hombre: "¿Cómo te llamas?" (Lucas 8:30), los demonios fueron los primeros en levantar la voz y darse a conocer, en lugar de permitir que el hombre hablara. Fue como si el pobre hombre no existiera.

¿No es eso lo que sucede con nuestras fortalezas? En algún momento, durante nuestra esclavitud, dejamos de ser nosotros mismos y nos convertimos en nuestros problemas. Lo único que nos define son nuestras heridas, complejos y malos hábitos. Nuestra tarjeta de presentación es una lápida.

¡Adúltero!, grita. *¡Glotón!*, se mofa. *Abusado y maltratado, engañado y abandonado*, declara.

Por sobre la cacofonía de las voces condenatorias y demandantes, escuche por favor lo que nuestro Padre celestial dice de usted y de mí. "No temas, porque yo te redimí," dice el Señor en Isaías 43:1. "Te puse *nombre*, mío eres tú."

En otras palabras, no preste atención a los rótulos. Oiga a su Dios. Usted es su hijo. Él sabe su nombre de memoria: "Yo nunca me olvidaré de ti. He aquí que en las palmas de las manos te tengo esculpida" (Isaías 49:15-16).

No es su pecado sino el amor de Dios lo que lo define e identifica ante sus ojos.

Y no es su tumba, sino el lugar que Dios ha preparado en su corazón para usted lo que le ofrece verdadera seguridad.

EL SISTEMA DE MÁXIMA SEGURIDAD

"Cuando pases por las aguas, yo estaré contigo," promete el Señor en Isaías 43:2, 5. "Cuando pases por el fuego, no te quemarás… No temas, porque yo estoy contigo."

¡Eso es lo que yo llamo protección! Y eso es lo que encontramos cuando cambiamos nuestra recámara intermedia por un hogar en el corazón de Dios. Aunque Satanás refunfuñe e intente derrumbar nuestra vida, no tendrá éxito. Porque habitamos "al abrigo del Altísimo": Dios (Salmo 91:1).

Según los evangelios, el hombre atormentado que corrió a Jesús no tenía una vida normal desde hacía ya mucho tiempo. Lucas nos dice que había dejado de usar ropas y corría desnudo entre las tumbas. Marcos escribe que el hombre se cortaba con piedras, gemía día y noche, y rompía todas las cadenas con que intentaban atarle.

Así es el sistema de seguridad de Satanás. Pero, para usted, ¿es eso seguridad? Por supuesto que no. Y aun así, muchos de nosotros creemos los anuncios astutos del Enemigo que nos dicen que es mejor refugiarnos en nuestra tumba oscura y hedionda, que confiar en Dios y salir a la luz. Algunos de nosotros estamos tan acostumbrados a vivir en las tumbas que hemos hecho grandes esfuerzos para que nuestras recámaras intermedias sean cómodas y lujosas.

Instalamos televisores de plasma de sesenta pulgadas e Internet de alta velocidad para pretender que no estamos solos.

No podemos ni pensar en dejar nuestras fortalezas y mucho menos derribarlas. Pero cuanto más tiempo permanecemos atados a las tumbas más y más nos atascamos.

Tras aconsejar a tantas personas heridas, puedo reconocer al instante la "desnudez" al andar y el tormento mental que surge cuando amamos más nuestra tumba que nuestro deseo de libertad. También he visto lo inútil que es poner toda nuestra confianza en el esfuerzo humano de encadenar y contener nuestro dolor. Porque nuestra naturaleza caída encuentra inevitablemente la manera de vencer todos los intentos por refrenar nuestras tendencias autodestructivas. Los intentos propios como los de los demás.

La verdad es que necesitamos más que restricción; necesitamos resurrección. No necesitamos más cadenas para controlar nuestra naturaleza pecaminosa. No más listas de "debes" y "no debes" para poder encajar en la sociedad. Si bien pueden sujetarnos por un tiempo, lo que necesitamos en realidad es una transformación total y verdadera, ¡desde la cabeza hasta la punta de los pies! Y para ello necesitamos a Jesús. Porque "si el Hijo os libertare," promete Juan 8:36, "seréis verdaderamente libres."

Me encanta la descripción que da Lucas de los resultados de la obra del Señor aquel día en el cementerio. Luego de enviar a los demonios a un hato de cerdos que se suicidan repentinamente, las personas de los alrededores vinieron a ver lo que había sucedido. Lucas 8:35 nos dice que encontraron al hombre "sentado a los pies de Jesús, vestido y en su juicio cabal."

¿No es hermoso? El hombre desnudo y fuera de control a quien solían temer ahora estaba sentado a los pies de Jesús, tranquilo, en paz y completamente vestido. Ya no estaba loco, ni tenía el más mínimo deseo de seguir viviendo con los muertos. Al contrario, deseaba seguir a Jesús todos los días de su vida (versículo 38).

Ese es el tipo de cambio de vida que deseo, la clase de identidad y de seguridad que anhelo. Quiero que mi Salvador me transforme de tal manera que vista mi desnudez y sane por completo mi mente. Quiero que mi vida sea un testimonio y esté tan llena de Jesús que me sienta totalmente fuera de lugar entre las tumbas.

"Vuélvete a tu casa, le dijo Jesús al hombre, y cuenta cuán grandes cosas ha hecho Dios contigo" (versículo 39).

¡Y eso exactamente fue lo que hizo aquel ex endemoniado, obsesionado ahora por Jesús! No sólo fue a su propio pueblo, sino también a Decápolis (Marcos 5:20), llevando las buenas nuevas del evangelio a una región con varias ciudades de gentiles alejados por completo de las cosas de Dios.

Un encuentro con Jesús había transformado su lápida en una roca firme de gracia, como las piedras conmemorativas que el pueblo de Israel levantó luego de cruzar el río Jordán (Josué 4:8-9). Un testimonio visible del poder que Dios tiene para salvar, sanar y liberar.

Ese tipo de testimonio puede ser mío, y también suyo, si tan sólo elegimos correr hacia Jesús en lugar de retroceder y escondernos en nuestras tumbas.

VEN Y VE

"¿Dónde le pusisteis?" les preguntó Jesús a Marta y a María entre lágrimas (Juan 11:34).

"Señor, ven y ve," respondieron. Luego fueron juntos a la tumba de Lázaro.

Oh, cuánto desearía que pudiéramos comprender la inmensidad y la emoción de este dulce intercambio y lo que significa para nosotros hoy.

¿Dónde has dejado tu dolor?, nos pregunta Jesús con ternura. *¿Dónde guardas todas tus esperanzas y sueños muertos? ¿Dónde has dejado la parte de ti que murió cuando fallaste o cuando te abandonaron, olvidaron o traicionaron? ¿Dónde estás sepultado y esclavizado, acorralado, encerrado y confinado?*

"Señor, ven y ve."

Eso es todo lo que necesitamos responder. Ven y ve.

Con nuestra invitación, Jesús desciende hasta nuestro dolor y nos recoge en sus brazos. No nos castiga por lo que hayamos vivido ni insiste en que le expliquemos el luto que llevamos. Nos abraza con fuerza y llora por lo que el pecado y la muerte han hecho con nosotros, sus amados.

No nos menosprecia por nuestra desnudez salvaje, porque Jesús comprende. Él caminó por donde caminamos y sintió lo que nosotros sentimos.

"Porque no tenemos un sumo sacerdote que no pueda compadecerse de nuestras debilidades," nos dice Hebreos 4:15. Tenemos un dulce Salvador con un corazón lo suficientemente grande como para tratar con nuestra tristeza; un Salvador con manos amorosas que pueden llevar nuestro dolor. "La caña cascada no quebrará," promete Dios en Mateo 12:20, "y el pabilo que humea no apagará."

Así que no hay razones para retroceder. Podemos correr hacia él como lo hizo aquel hombre que vivía entre las tumbas. No estar a la defensiva ni medir nuestras palabras. Podemos ir con osadía, aun con desesperación como María y Marta, y derramar nuestro temor y nuestra decepción ante él. Podemos decirle: "Señor, ven y ve," con la plena seguridad de que lo hará.

Y debido a eso, todo el infierno tiembla. Satanás y sus demonios ven lo que nosotros no vemos, y saben lo que nosotros quizás aún no llegamos a comprender: la victoria ya ha sido ganada. La piedra ha sido removida, y la tumba está vacía; no sólo la tumba de Cristo, sino también las nuestras. Porque el pecado ya no tiene poder sobre nosotros (Romanos 6:14).

Pero aún debemos decidir dónde viviremos. ¿Escogeremos la familiaridad del cementerio o una nueva vida en Cristo, más allá de lo aterrador que nos pueda parecer? ¿Elegiremos la esclavitud o la libertad?

En cierto sentido, depende de nosotros. Porque la obra de resurrección ya ha sido completada. Yo soy "el que vivo", declara Jesús en Apocalipsis 1:18. "Estuve muerto; mas he aquí que vivo por los siglos de los siglos, amén. Y tengo las llaves de la muerte y del Hades."

Esto significa, claro está, que él tiene la capacidad para abrir mi tumba y la suya. Incluso ahora mismo él está frente a las puertas de nuestras fortalezas, de nuestras oscuras y solitarias recámaras intermedias. Nos llama con voz dulce pero fuerte como de trueno. Nos desafía. A usted y a mí.

"¡Lázaro, ven fuera… y vive!"

Entonces Marta, cuando oyó que Jesús venía,
salió a encontrarle; pero María se quedó en casa.

Y Marta dijo a Jesús: Señor, si hubieses estado aquí,
mi hermano no habría muerto.

Mas también sé ahora que todo lo que pidas a Dios,
Dios te lo dará.

Jesús le dijo: Tu hermano resucitará.

Marta le dijo: Yo sé que resucitará en la resurrección,
en el día postrero.

Le dijo Jesús: Yo soy la resurrección y la vida;
el que cree en mí, aunque esté muerto, vivirá.

Y todo aquel que vive y cree en mí,
no morirá eternamente. ¿Crees esto?

Le dijo: Sí, Señor; yo he creído que tú eres el Cristo,
el Hijo de Dios, que has venido al mundo.

Jesús, profundamente conmovido otra vez, vino al sepulcro.
Era una cueva, y tenía una piedra puesta encima.

Dijo Jesús: "Quitad la piedra." Marta, la hermana del que
había muerto, le dijo: Señor, hiede ya, porque es de cuatro días.

Jesús le dijo: "¿No te he dicho que si crees,
verás la gloria de Dios?"

Juan 11:20-27, 38-40

6

Quiten la piedra

Sólo puedo imaginar cómo habrá sido. De pie frente a la tumba, esperando lo mejor, pero temiendo lo peor, María y Marta deben haberse tomado de las manos y mirado con una mezcla de temor y asombro.

"Quiten la piedra," ordenó Jesús (Juan 11:39). Si bien Marta quería obedecer, era una mujer práctica que no podía dejar de mencionar el problema de aquel plan: "Ya debe haber mal olor," dijo. La versión Reina-Valera lo dice de una manera más cruda: "Hiede ya." Después de cuatro días del calor de Judea y de la descomposición natural del cuerpo humano… pues, abrir la tumba no prometía ser una experiencia placentera.

¿Por qué querrá Jesús hacer eso?, debe haberse preguntado. Quizás Jesús deseaba dar su último pésame. Tal vez quería ver a su amado amigo una última vez, aunque estuviera muerto.

Más temprano aquel día, en el camino, Jesús había prometido a Marta que su hermano resucitaría. Pero no se refería a que sucedería hoy, ¿o sí?

¿Ahora mismo?

Pero eso es exactamente lo que el Señor tenía en mente en el versículo 40. "¿No te he dicho que si crees, verás la gloria de Dios?" le preguntó Jesús a Marta, mirándola directo a los ojos. Y en ese momento debía tomar una decisión.

¿Obedecería a Jesús?

¿O el riesgo de revelar lo que yacía detrás de la piedra era demasiado como para soportarlo?

LA PARTE NUESTRA

Obedecer o no obedecer, es la disyuntiva que constantemente enfrentamos en nuestro andar cristiano. Algunos días, obedecer es fácil; pero otros parece totalmente imposible. En especial cuando Dios nos pide que hagamos algo que para nosotros no tiene sentido.

Algo como abrir una tumba.

Jesús no tenía por qué esperar que quienes estaban a su alrededor obedecieran. Después de todo, él era (y es) el Dios todopoderoso. Sólo con una palabra podría haber destruido la piedra que cerraba la tumba de Lázaro. Eso habría sido espectacular.

"¿Por qué no haces un milagro instantáneo como ese en mi vida, Señor?" preguntamos. "Eso es lo que yo preferiría."

Jesús podría haber dejado la piedra en su lugar, y demostrado todo su poder con sólo un movimiento de su mano, y *¡ya!*, Lázaro aparecería de repente, de pie fuera de la tumba, con ropas nuevas e irradiando salud. Eso habría sido impactante.

"¡Haz eso en mí, Dios!" clamamos.

En cambio, Jesús dejó el trabajo de remover la piedra a quienes estaban a su alrededor. El milagro dependía, al menos en parte, de que la familia acongojada permitiera que Jesús tuviera acceso a su sufrimiento.

Y eso también es cierto respecto a nuestra resurrección. Sólo Cristo puede hacer que los muertos resuciten, pero sólo nosotros podemos quitar los obstáculos que se levantan entre nosotros y nuestro Salvador.

Todos nosotros hemos permitido, e incluso reforzado, los obstáculos en nuestras almas. Falsas creencias que interiorizamos como verdades, hasta el punto de que las creemos antes de creerle a Dios. Como resultado, muchos de nosotros nos convertimos en "cristianos ateos," como lo expresa Craig Groeschel: "Creemos en Dios, pero vivimos como si él no existiera."[1]

He identificado tres "piedras" específicas con las que creo que muchos cristianos suelen luchar. Tres obstáculos que debemos examinar y abandonar para que Dios pueda hacer la obra que desea hacer. Aunque Lázaro no tenía poder para quitar la piedra que sellaba su tumba, nosotros sí lo tenemos. Nuestras elecciones y actitudes definitivamente marcan una diferencia en uestra capacidad para aceptar la libertad que Cristo nos ofrece.

Entonces, ¿cuáles piedras debemos quitar?

La primera es la piedra de la carencia de valor: la mentira de que no somos mados, ni es posible que nos amen.

La segunda es la piedra de la negativa a perdonar: la mentira de que ecesitamos aferrarnos a las heridas del pasado.

Y la tercera es la piedra de la incredulidad: la mentira de que Dios no uede, o no quiere ayudarnos. Por lo tanto, debemos hacer todo por nuestra ropia cuenta.

La carencia de valor, la negativa a perdonar, la incredulidad... son bstáculos amenazantes e intimidatorios que nos encierran y aíslan. Pero inguno de ellos es imposible de remover. No si les ponemos el pecho y lamamos a Dios por ayuda.

LA PIEDRA DE LA CARENCIA DE VALOR

Recuerda a Lisa, mi amiga que le presenté en el capítulo uno? ¿Aquella ristiana enérgica que me detuvo luego del estudio bíblico y me confesó que odía decirle a los demás que Jesús los amaba, pero que no podía convencerse sí misma de que Dios la aceptaba?

Aquel día, mientras pasábamos un tiempo juntas, le pedimos al Espíritu anto que revelara lo que impedía que su corazón realmente recibiera las uenas noticias del amor de Dios. Después de orar, Lisa comenzó a contarme historia de su conversión, una historia hermosa, por cierto. Pero había una osa que la atormentaba, me dijo. Un secreto que no le había contado a nadie, i siquiera a su esposo.

Mientras las lágrimas corrían por sus mejillas, Lisa confesó su vergüenza. Durante el colegio secundario tuve un aborto. Pero no sólo uno, Joanna, uve muchos." Los sollozos sacudían el cuerpo de mi amiga mientras la nmensidad de sus palabras la abrumaba.

"¿Cómo podría Dios perdonarme?" preguntó finalmente, expresando quello que la había sepultado durante casi toda su vida: su sentimiento de esvalorización a causa del temor. "¿Cómo podría amarme después de lo que ice?"

Abracé a mi amiga mientras ella lloraba y derramaba su dolor; dolor no ólo por el pecado, sino también por los hijos que nunca había conocido. Su ngustia era profunda, pero también era una angustia transformadora. Para mbas.

"¿No lo sabes, Lisa?" le susurré al oído mientras la revelación golpeaba m
corazón. "¿No sabes que esa es la razón por la que Jesús tuvo que venir? Es pc
eso que Jesús tuvo que morir."

Todos hemos pecado. Todos hemos fallado al no hacer lo mejor, lo buen
lo correcto. Todos hemos tomado atajos por conveniencia, eligiendo ignora
la ley de Dios y acarreando las consecuencias.

Mi pasado de doble faz era y es tan oscuro y pecaminoso como los añ
desenfrenados de Lisa. Sus pecados pueden haber sido visibles, pero mi
pecados interiores fueron igualmente nocivos. Mi orgullo, mi inseguridad
mi idolatría hacia la aprobación de los demás. La fuerza que me empujaba
tener éxito y la necesidad de que otros piensen bien de mí. Todo eso qued
expuesto frente a mí aquel día, la misma maldad de cualquier otro pecado. L
misma necesidad de un Salvador.

"Él no nos perdona porque lo merezcamos," le dije a ella, y a mí mism
"Dios nos perdona porque lo necesitamos desesperadamente."

Y eso es lo que hace que las buenas nuevas sean tan, pero tan buenas. E
precio ya ha sido pagado. Sólo tenemos que aceptar el regalo que Cristo n
ofrece. Nuestro pecado puede merecer castigo. Incluso puede haber resultad
en algún tipo de muerte… la muerte de la esperanza, de la seguridad, de l
felicidad futura.

Pero Jesús lo llevó todo en la cruz.

Y en ese proceso rompió el paradigma de condenación que colgaba sob
nuestras vidas y nos declaraba indignos.

Su sacrificio tiene el poder de quitar nuestra vergüenza si se lo permitimo
Por la muerte de Cristo, fuimos aceptados en las filas de los justos. Nuestr
prontuarios no tienen nada que ver en este asunto; necesitamos afirmar es
verdad para siempre. Lo único que nos salva es la cruz, y nada más que la cru
No podemos agregarle nada, ni podemos restarle nada. Sólo tenemos qu
abrazarla. Y cuando lo hacemos, la piedra de la carencia de valor desaparec

¡Ha sido muy emocionante ver la resurrección de Lisa! Pero requirió d
algo aterrador. Aunque se había arrepentido de su pecado hacía ya much
años, fue sólo cuando le reveló su secreto a alguien más que experimentó u
cambio definitivo en su relación con el Señor.

Quizás es por eso que el Espíritu Santo inspiró a Santiago, hermano d
Jesús, a escribir: "Confesaos vuestras ofensas unos a otros, y orad unos p
otros, para que seáis sanados" (Santiago 5:16). Aunque no sucedió de la noch
a la mañana, Lisa fue sanada. Hoy comparte su historia con estudiantes d

colegio secundario y les exhorta a comprometerse con la pureza sexual, pero también les recuerda que hay perdón y un nuevo comienzo en Jesucristo.

Lo que antes la avergonzaba tanto, ahora Dios lo utiliza para glorificarse en gran manera. Pero todo comenzó con la valiente decisión de quitar la piedra.

LA PIEDRA DE LA FALTA DE PERDÓN

La piedra de Lisa era la sensación de carencia de valía personal junto con una agobiante culpa y vergüenza por lo que había hecho. Pero para muchos de nosotros, nuestros obstáculos espirituales son el resultado de las cosas que nos han hecho y de nuestras actitudes frente a ellas. Quizás nos acusaron falsamente, o nos malinterpretaron, o nos usaron o traicionaron. Y no parece que podamos superar nuestro enojo, resentimiento o amargura.

Queremos perdonar... bueno, casi siempre. El problema es que no estamos seguros de que podamos hacerlo. La herida ha sido tan profunda que las raíces de nuestro dolor parecen no terminar jamás. ¿Cómo soltarnos de algo que nos tiene tan aferrados?

Ese era mi dilema hace varios años. "Necesito estar a solas con Dios," le dije a mi esposo John. "Estoy en una mala situación."

Como mencioné en el capítulo anterior, habíamos pasado por un tiempo de pruebas en el ministerio, y en general lo había manejado bastante bien. De hecho milagrosamente bien. Un período de gracia se me había abierto para poder atravesar la dificultad sin sentir esa fuerte necesidad de arreglarlo o de cambiar a las personas involucradas. (Como le digo, fue algo milagroso.)

Pero al acercarse el aniversario de aquellas heridas, recordé una ofensa causada por una de esas personas. Los recuerdos dolorosos comenzaron a indignarme y molestarme nuevamente. Las oportunidades de autocompasión habían flotado en mi mente con anterioridad, pero hasta ese momento no las había consentido. Al contrario, había experimentado el fenómeno, milagroso también, de una mente disciplinada.

Había aprendido que sólo porque un recuerdo doloroso viniera a mi mente yo no tenía por qué aferrarme a él; un descubrimiento revolucionario para mí. En lugar de alimentar y repasar lo acontecido, con la ayuda del Espíritu Santo estaba aprendiendo a disiparlo prohibiéndole a la ofensa entrar en mi corazón, y más importante aún, negándole que se asiente en mi mente.

Sin embargo, este recuerdo en particular se había colado por una entrada lateral. Al principio fue tan pequeño que apenas lo noté. Pero al darle a mi herida una plataforma para expresar sus quejas, empezó a crecer, y una piedra de falta de perdón comenzó a rodar en mi alma.

Como resultado, y casi sin saberlo, comencé a aislarme de las personas; y no sólo de aquellas que me habían herido.

No era descortés ni indiferente. Pero noté que me escapaba de los servicios de la iglesia tan pronto como podía, feliz de tener un niño pequeño que necesitaba de mi atención. No respondía las invitaciones a almorzar con

DISCIPLINAR LA MENTE

Cuando hablamos de los intentos del Enemigo por descarrilar nuestro cristianismo, "el campo de batalla es la mente". Pero la mejor defensa siempre ha sido un buen ataque, así que estoy aprendiendo a entrenar mi mente para la batalla a través de la disciplina de mis pensamientos. No siempre logro quitar las piedras, pero soy mucho más eficaz cuando practico las siguientes disciplinas:

1. **Lleve cautivo todo pensamiento** (2ª Corintios 10:5). O como dice Joyce Meyer: "Piense en lo que está pensando."[2] Trate de no permitir que su mente divague indiscriminadamente. En cambio, considere a dónde podrían llevarle sus pensamientos. Si su pensamiento le aleja de Dios, arránquelo. ¡Verdaderamente puede hacerlo! Conscientemente tráigalo a Jesús y déjelo allí.
2. **Resista las vanas imaginaciones** (Romanos 1:21). Esas divagaciones constantes, como: qué tal si, quizás, habría, podría, debería. Si siente que está encerrándose en un círculo de temor, preocupación o remordimiento, ¡deténgase! Gobierne su imaginación de forma consciente, y cambie su enfoque; mire a Jesús como su fuente de paz (Isaías 26:3).
3. **Niéguese a estar de acuerdo con el diablo.** Cuando vengan a su mente pensamientos de condenación o temor, recuérdese que son mentiras; que Dios es más grande que el mayor de sus problemas y más fuerte que su mayor debilidad (Filipenses 4:13), y que ya se ha encargado de las acusaciones del Acusador, de una vez y para siempre (Apocalipsis 12:10-11).

4. **Bendiga a quienes le maldicen** (Lucas 6:26). El rencor que usted lleva en el corazón consumirá su mente. Cuando surja en usted un resentimiento contra alguien, comience a orar por esa persona y no contra ella. Pídale a Dios que la bendiga y que se revele a ella… y que le ayude a usted a dejar el resentimiento atrás. ¡Puede pasar un tiempo antes que sienta que ha perdonado de verdad!
5. **Renueve su mente con la Palabra de Dios** (Romanos 12:2; Efesios 5:26). Medite en la Palabra a diario y permita que transforme sus pensamientos. Busque un pasaje que hable de su situación particular. Luego memorícelo, para hacerlo parte de su arsenal mental contra las mentiras del Enemigo.
6. **Declárese la verdad** (Juan 8:32). Muchos de nosotros nos decimos y nos repetimos palabras humillantes y otras ideas negativas contrarias a lo que Dios dice. Ataque de forma consciente esa tendencia, repitiéndose la verdad de Dios. Declare que lo que sabe es mayor que lo que siente. Proclame lo que Dios dice acerca de usted y proclame su poder para salvar.
7. **Desarrolle una actitud de gratitud**. Piense intencionalmente en cosas que sean buenas (Filipenses 4:8). Si es necesario, haga una lista. No permita que la negatividad se exprese, ni exterior ni interiormente. En cambio, declare en voz alta su gratitud hacia Dios (1 Tesalonicenses 5:18).

Por lo demás, hermanos, todo lo que es verdadero, todo lo honesto, todo lo justo, todo lo puro, todo lo amable, todo lo que es de buen nombre; si hay virtud alguna, si algo digno de alabanza, en esto pensad.

Filipenses 4:8

amigos. Las conversaciones se hacían más ceremoniosas y menos personales a medida que me retraía a mi pequeño mundo de seguridad. Mi pequeña y oscura tumba.

Finalmente el frío del rencor penetró tan profundo que no podía encontrar el deseo de perdonar. Y eso me aterró.

Con la bendición de John me refugié en la cabaña de una amiga y derramé mi corazón delante del Señor. El comienzo fue lento. Mis emociones eran duras como la roca, pero a medida que martillé con la obediencia del perdón, la piedra comenzó a moverse poco a poco.

Obedeciendo el impulso del Espíritu, escribí una carta a la persona que me había herido. No medí mis palabras; simplemente derramé mi dolor. Fue difícil darme el permiso de desahogarme por miedo de que jamás terminara, pero sabía que debía ser sincera con Dios sobre lo que estaba sintiendo. Después de todo, como alguien dijo: "Aferrarse al rencor es como beber veneno y esperar que la otra persona muera."

Luego de exponer mis heridas ante el Señor, pude ver que había otras personas encerradas en mi calabozo de desaprobación. Personas a quienes también necesitaba escribirles.

Pero ninguna de las cartas habría de ser enviada. No las escribía para nadie más que para mí. Quizás mis amigos no habían sentido que mi juicio les ahorcaba, pero sin duda yo lo había sentido.

Una carta tras otra, permití que el dolor tóxico brotara por mis heridas infectadas, y terminé cada nota con una declaración de amnistía y amor. No pensaba retener mi dolor contra ellos un día más. Por último, le escribí una carta a Dios, renunciando a todo derecho de resentimiento y pidiéndole que bendijera a las personas involucradas.

Cuando terminé la última nota, estaba totalmente exhausta. Pero junto con el agotamiento vino el comienzo de una dulce sensación de alivio.

Al decidir perdonar, poniendo mi mente por encima de mis sentimientos, la piedra de la renuencia a perdonar comenzó a moverse. Y en algún momento durante el proceso de soltar a quienes me habían lastimado, logré salir en libertad.

La piedra más grande de todas

El sentimiento de carencia de valor: con eso era que Lisa luchaba. La mentira de que ella no merecía el amor de Dios.

La falta de perdonar: ese era mi problema. La mentira de que las personas que me habían herido deberían estar excluidas de mi amor.

Estas dos falsas creencias pueden detener nuestro crecimiento espiritual, porque nos impiden dejar atrás nuestros fracasos o dolores. Pero la razón por la cual las piedras aparecieron en primer lugar no es tan importante como es el hecho de que no vivimos en libertad.

Lo que me lleva a la tercera piedra: la incredulidad. En mi mente, esta es la más destructiva de todas, porque es la base donde se asientan las otras dos.

Si tenemos problemas para creer que lo que Jesús hizo en la cruz realmente fue suficiente para cancelar nuestros pecados, lucharemos con el sentimiento de carencia de valor.

Si constantemente dudamos que Dios pueda sacar algo bueno de las terribles circunstancias que pasamos, nos aferraremos a la negativa a perdonar como único recurso.

Pero nada es más perjudicial para nuestra vida espiritual que permitir que la piedra de la incredulidad se interponga entre nosotros y el corazón de Dios. Porque nos hace creer la mentira del Acusador de que nuestro Padre no tiene poder para ayudarnos, o peor aún, que simplemente no le interesa.

Valoro la sinceridad con que mi amiga Ann Spangler escribe sobre su lucha por creer de verdad en el amor de Dios. En *The Tender Words of God* [Las tiernas palabras de Dios], ella detalla su travesía por descubrir su lugar en el corazón de Dios.

> Nunca me fue fácil creer en el amor de Dios hacia mí, con la excepción, quizás, de los primeros días y semanas luego de mi conversión. No importaba hacia dónde miraba en aquellos días, siempre encontraba evidencias del amoroso cuidado de Dios y de su inmutable perdón. De repente, el Dios de ceño severo de mi juventud se retiró sin previo aviso, y en su lugar vino Jesús, trayendo regalos de amor y paz. En aquellos días, casi todas las oraciones recibían respuesta, a veces de forma maravillosa. Recuerdo que pensaba que el problema de muchas personas era que esperaban muy poco de un Dios que estaba preparado para darnos mucho más.
>
> Pero los años pasaron y algo sucedió. No fue una sola cosa, sino muchas... Fueron pruebas de fe, algunas aprobadas y otras no. Pecados que se amontonaban. Escaramuzas espirituales y batallas extremas. Decepciones, dificultades y circunstancias más allá de toda comprensión. Todo esto se acumuló como una gran montaña que arrojaba una sombra sobre mi capacidad

> de sentir que Dios me amaba, que aún se preocupaba por mí con tanta dulzura como aquella primera vez que me enamoró y conquistó mi corazón.[3]

En un intento por recapturar el sentimiento del amor de Dios, Ann regresó al único lugar que puede calmar nuestra alma: las promesas de la Biblia. Pero incluso entonces no lograba sacudirse las dudas sobre el amor de Dios. "Como muchas personas que tienden a ser autocríticas," nos dice, "me es más fácil absorber los pasajes de la Biblia que suenan más duros que aquellos que hablan de la compasión de Dios. De alguna manera, parece que las palabras dulces resbalan sobre mí, así como las gotas de agua que se forman y resbalan sobre un automóvil bien encerado."[4]

Pero Ann persistió. Durante el siguiente año se sumergió en la Palabra de Dios, permitió que la Verdad la limpiara hasta que finalmente comenzó a adherirse; el amor de Dios dejó de ser un concepto, y ella comenzó a sentirlo como una realidad. No sucedió de forma inmediata, pero sucedió, en especial cuando Ann dejó de depender únicamente de sus sentimientos y empezó a ejercitar su fe. (Vea el Apéndice C: "Lo que soy en Cristo.")

El verdadero cambio llegó cuando Ann comenzó a aplicar algo que había aprendido durante una conversación con su amiga Joan. Cuando le preguntó a Joan cómo llegó a estar convencida del amor de Dios, Ann esperaba una historia dramática... algo sobre cómo Dios la había salvado de una tragedia, o la había sacado de un período de oscuridad. En cambio, Joan describió una decisión muy simple: "apartó un mes para actuar como si estuviera segura que Dios la amaba." Todo ese mes, "cada vez que sentía la tentación de dudar del amor de Dios, sencillamente cambiaba sus pensamientos y luego ponía toda la fuerza de su mente en creer que Dios la amaba. Y eso resolvió su problema... para siempre."[5]

Actúe como si estuviera seguro que Dios le ama.

Ponga *toda la fuerza de su mente* en creerlo.

Quite la piedra de la incredulidad al *reemplazar las mentiras* con la eterna verdad de Dios.

Qué conceptos poderosos; conceptos que resuenan a lo largo de todo el Antiguo Testamento y del Nuevo.

"Espera en Dios," se recuerda el salmista, no una, sino tres veces, cuando reflexiona sobre sus problemas y crece su desánimo (Salmos 42:5, 11; 43:5).

"Poned la mira en las cosas de arriba, no en las de la tierra," le aconseja Pablo a los creyentes colosenses que enfrentaban una nueva era filosófica que buscaba socavar la pureza de la doctrina (Colosenses 3:2).

"Porque por fe andamos, no por vista," agrega el apóstol en 2 Corintios 5:7, quien aún escogía creer en Dios a pesar de estar encarcelado y bajo amenaza de muerte.

Una y otra vez, la Biblia nos urge a que involucremos nuestra mente, voluntad y emociones en la búsqueda de las verdades más allá de los sentidos humanos. Cuando elegimos confiar en Dios por sobre lo que vemos o sentimos, quitamos la piedra de la incredulidad y descubrimos cómo es la verdadera vida.

Porque la fe hace más que liberar nuestros encarcelados corazones.

También le da libertad a Dios para que obre.

EL PROBLEMA DE LA INCREDULIDAD

Uno de los pasajes más perturbadores de las Escrituras es Marcos 6:5-6. Cuando Jesús regresó a Nazaret, las personas del pueblo no recibieron con mucho agrado al muchacho lugareño. Ellos no podían asimilar en sus mentes la idea de que Dios podía usar a alguien tan común, alguien que conocían desde la niñez. Por supuesto, Jesús predicaba bien y ellos habían oído de sus milagros, pero en lugar de estar impresionados, estaban ofendidos.

"No podían explicarlo," sugiere Kenneth Wuest, "así que lo rechazaron."[6]

El evangelio de Marcos nos dice que como resultado "no pudo hacer allí ningún milagro, salvo que sanó a unos pocos enfermos, poniendo sobre ellos las manos" (versículo 5). Note que dice: "no pudo hacer allí ningún milagro." Algo retuvo su poder. Jesús fue limitado por el desdén de ellos, pero aún más por su resuelta incredulidad.

¿No es aterrador pensar que las personas que deberían conocer mejor a Cristo son con frecuencia quienes menos confían en él, y que según estos versículos, la falta de confianza puede en verdad limitar la obra de Dios en nuestras vidas?

Oh, cuánto deseo que mi fe sirva como un catalizador de lo milagroso. A pesar de que mi fe no es perfecta, deseo crecer. No quiero obstaculizar el obrar de Dios en mi vida ni en la de quienes me rodean.

"Al que cree todo le es posible," le dijo Jesús al desesperado padre de un niño endemoniado. "E inmediatamente el padre del muchacho clamó y dijo:

Creo; ayuda mi incredulidad" (Marcos 9:23-24). Aunque era pequeña y no estaba desarrollada, la fe del hombre fue suficiente. Jesús pronunció las palabras e hizo lo que sólo él puede hacer: sanar al hijo de aquel hombre y hacerlo libre.

Eso es exactamente lo que él quiere hacer por usted y por mí.

Luchando con el silencio

Los editores dicen que es mejor que los autores no incluyan demasiada información sobre el proceso que implica escribir un libro. Entiendo cuál es su punto. Prefiero leer una obra bien pulida que escuchar las quejas del autor porque le fue muy difícil escribirla. Sin embargo, por alguna razón mis quejas, es decir, mi proceso de escritura, se ha incorporado en la mayoría de mis libros. Baste decir que no me es fácil escribir. De hecho, es lo que más me cuesta hacer.

Uno pensaría que con el paso del tiempo se hace más sencillo. Ciertamente yo esperaba que así fuera. En cambio, cada libro me ha presentado una nueva serie de dificultades.

Escribir *Como tener un corazón de María en un mundo de Marta* implicó un combate de un año con el insomnio y vivir las veinticuatro horas del día en un túnel repleto de palabras e ideas.

La tarea con *Un espíritu como el de María* fue como luchar con una bestia. Cooperar en la santificación era un tema tan inmenso que apenas logré abrazar el mensaje… sin llegar a comprenderlo por completo en mi corazón.

Pero *El despertar de Lázaro* ha sido totalmente diferente. Escribiéndolo me he sentido como tratando de atrapar agua o agarrar arena fina; los conceptos se me han hecho tan etéreos y cambiantes. Peor aún ha sido el silencio perturbador de mi mente. A meses de terminar me sentía sepultada, encerrada, y enmudecida, sin el mínimo aliento de una idea que me asegurara que este libro habría de existir.

A seis meses de la fecha de entrega del libro, según el contrato, tenía el esquema general de tres capítulos solamente. Estaba muy lejos de los diez capítulos que había prometido entregar.

"Siento como si estuviera sosteniendo una prueba de embarazo que dice que estoy esperando un libro," le dije a la editorial, "pero no presento síntoma alguno. No hay movimientos, ni siquiera uno pequeño en mi vientre que me diga que nacerá."

La única seguridad que sentía era que este libro era una idea de Dios y no mía. Aunque los ecos eran distantes, la campanada que había resonado en mi alma años atrás aún repicaba. Y más importante, podía oír que Dios me estaba desafiando a creer, sin importar cual fuera la situación.

¿Así que parece imposible?, sentí que el Espíritu Santo susurraba a mi espíritu. *¿Así que parece que jamás terminarás este proyecto?*

"¿No te he dicho que si crees, verás la gloria de Dios?" le preguntó Jesús a Marta a la puerta de la tumba de su hermano (Juan 11:40). Parada en el umbral de mi imposibilidad, he escuchado la misma pregunta cada día de los últimos veinticuatro meses.

Cuatro días es un tiempo muy largo para esperar por una resurrección. Pero para escribir un libro, dos años parecen una eternidad.

Pero si crees, Joanna, verás...

"No te apoyes en tu propia prudencia," nos recuerda Proverbios 3:5-6. "Reconócelo [a Dios] en todos tus caminos, y él enderezará tus sendas."

No mires qué tan lejos tienes que llegar, parecía decirme Dios cada día cuando me sentaba a escribir. *Más bien búscame a lo largo de la jornada. Reconoce mi presencia aun en medio de este vacío. No trates de tener fe para el resultado final. Tan solo cree en mí. Entonces verás.*

De modo que eso es lo que he intentado hacer. Aquí mismo, en este momento, escasamente a la mitad del libro. Ejercitando mi fe en vez de ceder ante el temor. Y finalmente estoy llenando la página de palabras, algo que a veces lo he sentido como literalmente imposible.

Aunque el temor al fracaso nunca desaparece, estoy decidida a "contender ardientemente por la fe" (Judas 3). Y aunque mi confianza en mí misma vacila regularmente, "no pierdo mi confianza" en Dios (Hebreos 10:35).

"Porque mayor es el que está en mí, que yo misma" (1 Juan 4:4, paráfrasis de Joanna Weaver).

Y así, con Marta y con el padre del chico endemoniado, y con todos los demás que alguna vez han luchado por creer en medio de pruebas abrumadoras, yo clamo:

"¡Señor, creo! Ayúdame a superar mi incredulidad."

QUITEMOS LOS OBSTÁCULOS

Ninguno de nosotros se bloquea deliberadamente con piedras de carencia de valía, renuencia a perdonar, o incredulidad. Pero la vida es dura y éstas se introducen, gradual, sutilmente y sin que se noten, por la puerta de nuestro corazón, y tapan la luz. Otras veces golpean repentinamente y de manera inesperada, como algún derrumbe que bloquea una carretera en las montañas.

Lápidas. Obstáculos en el camino. ¿Qué barricadas están obstaculizando hoy su vida? ¿Qué cosas le están aislando, encerrando, causando desvíos interminables e interrupciones crónicas en el libre fluir de su relación con Dios?

Quizás es tiempo de desempolvar las mejores herramientas y con la ayuda del Espíritu Santo, comenzar a remover los obstáculos de su alma.

En Lisa, para la mentira de la carencia de valía personal se necesitó el elemento explosivo de la confesión.

Antes de poder vivir en libertad, ella necesitaba revelar ese oscuro secreto que la había mantenido amordazada espiritualmente y atada emocionalmente durante casi toda su vida adulta.

En mi caso, fue necesario el taladro del perdón para romper la roca de resentimiento que se había fijado a mi corazón. Tuve que enfrentar mi dolor, pero luego renunciar a mi derecho de estar ofendida para poder decidir perdonar.

En Ann, la roca de la incredulidad requirió de una gran dosis de la *dunamis* (o dinamita[7]) de la Palabra de Dios. Cuando decidió exaltar la verdad de Dios por sobre sus sentimientos, la mentira de que no era amada pudo ser removida finalmente.

"Quiten la piedra," ordenó Jesús a quienes estaban parados frente a

UNA FE QUE QUITA LAS PIEDRAS

Jesús dijo: "Si tuviereis fe como un grano de mostaza, diréis a este monte: Pásate de aquí allá, y se pasará; y nada os será imposible" (Mateo 17:20). ¡Imagine lo que esa clase de fe podría hacer a la hora de quitar nuestras piedras! No fe en las formulas o fe en nuestra fe, sino una confianza de corazón enfocada en nuestro Dios. Le pido al Señor que me ayude a vencer mi incredulidad y a remplazarla por estas tres poderosas clases de fe.

"Y SI NO..."

Quiero una fe como la de Sadrac, Mesac y Abed-nego, que se niega a inclinarse a otros dioses y que no cede ante el temor temor por el descontento de otras personas, incluso si negarse pudiera significar la muerte.

> He aquí nuestro Dios a quien servimos puede librarnos del horno de fuego ardiendo... Y si no, sepas, oh rey, que no serviremos a tus dioses, ni tampoco adoraremos la estatua que has levantado (Daniel 3:17-18).

"AUNQUE"...

Quiero una fe que no dependa de las circunstancias ni pierda la calma ante las tribulaciones: la clase de fe que decide alabar aun en medio de dificultades que no ceden ni un ápice.

> Aunque la higuera no florezca, ni en las vides haya frutos, aunque falte el producto del olivo, y los labrados no den mantenimiento, y las ovejas sean quitadas de la majada, y no haya vacas en los corrales; con todo, yo me alegraré en el Señor, y me gozaré en el Dios de mi salvación (Habacuc 3:17-18).

"NO COMO YO QUIERO, SINO COMO TÚ"

Deseo tener la clase de fe que Jesús demostró en el huerto de Getsemaní. Una fe que dice: "Esto es lo que me gustaría que sucediera...", pero que, al final, lo que más desea es lo que Dios quiere.

Padre mío, si es posible, pase de mí esta copa;
pero no sea como yo quiero, sino como tú.

Mateo 26:39

Pero sin fe es imposible agradar a Dios; porque es necesario que el que se acerca a Dios crea que le hay, y que es galardonador de los que le buscan.

Hebreos 11:6

la tumba de Lázaro aquel lejano día en Betania (Juan 11:39). Aunque e
evidente que a Marta le incomodaba la idea de quitar la única cosa que s
interponía entre ella y la muerte que lloraba, escogió obedecer. A pesar d
que no comprendía por completo por qué Jesús pidió lo que pidió, ella hiz
lo que sí podía hacer, para que Jesús pudiera hacer el resto.

Y en cierto sentido, eso es todo lo que Jesús pide de usted y de mí.

Quita la piedra, amado. Haz lo que sólo tú puedes hacer. Escoge recibir m amor… decide perdonar… decide confiar en mí a pesar de todo. Luego observ lo que haré.

Porque si crees, promete nuestro Salvador, *entonces verás… la gloria de Dio derramada sobre tu vida y la mía para llevarnos fuera de nuestras tumbas… llenos de vida y completamente libres.*

Dicho esto, les dijo después: Nuestro amigo Lázaro duerme; mas voy para despertarle.

Entonces quitaron la piedra de donde había sido puesto el muerto. Y Jesús, alzando los ojos a lo alto, dijo: Padre, gracias te doy por haberme oído.

Yo sabía que siempre me oyes; pero lo dije por causa de la multitud que está alrededor, para que crean que tú me has enviado. Y habiendo dicho esto, clamó a gran voz: ¡Lázaro, ven fuera!

Juan 11:11, 41-43

7

Cuando el amor pronuncia su nombre

El viaje a través del estado de Montana es largo. Mil ciento veinte kilómetros, para ser exactos.

Siendo una joven esposa y madre que vivía en el límite oriental del estado, solía manejar varias veces al año, sola con mi primogénito, para visitar familia en el oeste de Montana. Cuando abrochaba a John Michael en el asiento trasero, lo colocaba de forma que podría hacerle cosquillas en los pies o alcanzarle un juguete para que se entretuviera hasta quedarse dormido. Luego, con la esperanza de que el tiempo transcurriera más rápido, encendía la radio. Pero en las planicies del este de Montana, las ciudades son pocas y están alejadas unas de otras, y así ocurre también con las estaciones de radio.

En lugar de recibir una señal clara, solía captar mucho ruido: largos períodos de estática interrumpidos de vez en cuando por algo de música entrecortada al pasar cerca de una estación. Afortunadamente la autopista frente a mí era amplia y sin curvas, así que podía concentrarme en recorrer el dial poco a poco para lograr captar alguna señal. Hasta que al fin, después de toda esa estática, se podía escuchar una voz fuerte y clara.

Estoy comenzando a entender que se necesita ese mismo tipo de concentración para terminar con el ruido de este mundo y oír la voz de

Dios. Necesitamos sintonizar nuestros corazones a la voz de su Espíritu de manera intencional.

Porque hasta que aprendamos a oír de verdad, puede que nunca escuchemos que el Amor pronuncia nuestro nombre.

¡Ven fuera!

Me pregunto qué habrá sentido Lázaro al oír la voz de Jesús desde el interior de la tumba. ¿Fue como un eco lejano lo que oyó primero? ¿Quizás una voz familiar pero distante que lo llamaba a regresar de la celda de muerte que lo retenía?

¿Qué sucedió en el cuerpo de Lázaro cuando escuchó su nombre? ¿De repente su corazón empezó a palpitar otra vez? ¿Hubo una gran ingestión de aire a sus pulmones cuando aspiró por primera vez en cuatro días? ¿Despertó lentamente, o la energía penetró en él como un rayo y lo puso de pie erecto antes de impulsarlo fuera de la tumba?

De cualquier manera, una vez que estuvo conciente, Lázaro tuvo que enfrentar una decisión, lo mismo que usted y yo. Regresar a su sueño y permanecer donde estaba, o levantarse de la tumba y salir a una nueva vida.

Cuando el amor pronuncia nuestro nombre podemos ignorar su voz, o responder. Podemos retroceder hacia la oscura familiaridad de lo que hemos conocido, o entrar a la luz, tal vez con vacilación y con ojos parpadeantes tratando de adaptarnos, pero listos para acoger lo que Dios nos ha preparado. Aunque su voz parezca débil y distante, él está llamándonos para que salgamos de nuestras tumbas tan ciertamente como llamó a Lázaro.

Entonces, ¿qué debemos hacer cuando lo oigamos hablar?

Solamente una cosa me ha ayudado y la comparto con usted: elija acercarse más a él. Responda al clamor de Dios con el suyo. Acérquese a la Luz y verá que esta se hace más brillante. Su voz se oirá más fuerte. Sus palabras serán más claras.

Todo porque usted ha decidido escuchar y responder, sintonizando su corazón[1] con la voz de su Salvador.

Aprender a escuchar

Recuerdo que cuando era una cristiana adulta pero joven me molestaba cuando la gente hablaba de oír la voz de Dios. "Dios me dijo esto… o Dios me dijo aquello," afirmaban.

"¿De veras?" deseaba responderles. "¿Quién se cree usted que es? ¿Cómo sabe que era la voz de Dios y no producto de su imaginación? ¿O el resultado del guacamole que se comió?"

Después de todo yo tenía veintiocho años de edad y era la esposa de un pastor. Había sido criada en la iglesia y amaba a Jesús desde que era una niña. Pero jamás había oído realmente la voz de Dios, o por lo menos eso es lo que yo pensaba.

Sin embargo he empezado a darme cuenta que aunque todavía no he oído a Dios hablando de una manera audible, no sería cierto si dijera que no he oído su voz. De hecho creo que el Señor me habla más frecuentemente de lo que soy conciente. El problema es que no siempre estoy escuchando. Y cuando lo hago, el Enemigo hace todo lo que puede para convencerme de que lo que estoy oyendo es cualquier cosa menos la voz de Dios.

En su excelente libro *Discerning the Voice of God* [Cómo discernir la voz de Dios], Priscila Shirer describe este problema:

> Si Dios desea que escuchemos su voz, el "Padre de Mentira" hará todo lo posible para hacernos creer que no la estamos oyendo. Cuando oímos algo de parte de Dios decimos que es intuición, coincidencia o incluso suerte; cualquier cosa excepto lo que es en realidad: la voz de Dios. Estamos tan acostumbrados a desestimar su voz que nos hemos convencido de que él ya no les habla a sus hijos. Pero la Biblia dice una y otra vez que sí nos habla. Que sí la estamos oyendo. Quizás simplemente no sepamos que es Dios quien habla.[2]

Algunos han llegado a la conclusión de que Dios sólo habla a través de la Biblia. Dicen que asumir que Dios habla por otro medio que no sea las sagradas escrituras es algo no solamente presuntuoso sino también peligroso. Comprendo lo que les preocupa. Después de todo, muchas personas a través de los siglos aseguraron oír la voz de Dios y lo usaron como excusa para hacer locuras o llanas maldades: asesinos que realizaron cruzadas en nombre de la fe cristiana, madres enfermas mentalmente que ahogaron a sus hijos, y predicadores lunáticos que envenenaron sus rebaños, por nombrar algunos.

Pero si tomamos esos casos de mal uso y abuso para decir que Dios no habla en la actualidad, nos perdemos de una de las cosas más valiosas de nuestro andar con él, una clave necesaria para nuestra libertad.

Porque si no oímos a Dios, no podemos obedecerle.

Y si no le obedecemos, jamás escaparemos de nuestras tumbas.

Cómo discernir su voz

¿Alguna vez quiso que Dios le hablara un poquito más fuerte? O, mejor aún, ¿deseó que se sentara a su lado, en carne y hueso, para poder oír exactamente lo que dice? ¿Cree que así oiría mejor?

¡No esté tan seguro!

En el Antiguo Testamento, hubo momentos en que Dios habló tan fuerte que su voz sacudió las montañas e hizo temblar a las personas. Pero en lugar de acercar a los hijos de Israel, su voz audible los hizo alejarse, hasta entrar en la supuesta seguridad de sus tiendas y en una relación con Dios más cómoda, más lejana.

"Habla tú con nosotros, y nosotros oiremos, pero no hable Dios con nosotros, para que no muramos," le dijeron los hijos de Israel a Moisés en Éxodo 20:19.

Aunque Moisés se esforzó por traducir el corazón de Dios al pueblo, la familiaridad tiende a generar menosprecio. Si bien oyeron la voz de Dios y le tuvieron temor, "pronto aprendieron a ignorarla," Philip Yancey.[3] Y al parecer, la ignoraron tanto que casi no se dieron cuenta cuando esa voz guardó silencio durante más de cuatrocientos años.

En el Nuevo Testamento, volvió a oírse la voz de Dios una vez más; primero en el llanto de un bebé y luego a través de un hombre totalmente accesible llamado Jesús. Su voz sonaba como la nuestra, pero él hablaba con una autoridad y sabiduría que nunca antes se habían oído. Su voz podía ser suave y delicada con los niños y las mujeres adúlteras, pero dura y exigente con los hipócritas y los orgullosos en espíritu. Y aunque Jesús vivió con nosotros en la tierra, de manera muy cercana y personal, esa misma cercanía que nos atrajo también nos permitió crucificarle.

El arte de oír

"Antes de poder oír la voz de Dios a través de los momentos diarios de nuestra vida, nuestro corazón debe estar preparado para escuchar," escribe Ken Gire en su *Reflections on Your Life Journal* (Diario de reflexiones de la vida). "Esto requiere más arte que ciencia. Al menos así ha sido en mi caso." Según Gire, preparar nuestro corazón en el "arte de oír" implica varias cosas:

> *Primero,* debemos tener un sentido de anticipación de que Dios desea hablarnos y de que lo hará. Esta expectativa nace de creer que Dios es amor, y que el amor, por naturaleza, no puede dejar de expresarse. Sin embargo, las formas de expresión pueden variar notablemente. A veces el amor se expresa a través de las palabras. Otras veces lo hace a través de imágenes o gestos, o de muchas otras maneras, algunas tan sutiles que sólo la persona amada puede reconocerlas. Así es la comunicación íntima. Suele ser indescifrable para los demás, pero tan clara para la persona amada.
>
> *Segundo,* debemos tener humildad de corazón, porque nuestra disposición a ver y oír las cosas más sencillas determinará en gran medida cuántos de esos momentos captaremos. Esta postura del corazón nace de entender que las palabras de Dios suelen venir envueltas en las más humildes apariencias, y que si no estamos dispuestos a inclinarnos, probablemente no veamos a Dios entre el hedor del establo y la suavidad de la paja.
>
> *Tercero,* debemos ser receptivos y actuar según lo que oímos. Debemos estar dispuestos a caminar hacia donde él nos guíe, dondequiera que sea. Listos para admitir en qué estamos equivocados y para alinearnos con lo correcto, bueno y verdadero. Resueltos a participar del gozo del momento; o del dolor del momento, si fuera el caso. Es esta respuesta del corazón la que nos hace sensibles a la gracia del momento. Y nos prepara para la próxima situación, para poder recibir la gracia que Dios nos ofrecerá.[4]

Acércate más para oír... No te des prisa con tu boca,
ni tu corazón se apresure a proferir palabra delante de
Dios; porque Dios está en el cielo, y tú sobre la tierra;
por tanto, sean pocas tus palabras.

Eclesiastés 5:1-2

Como vemos, la historia demuestra que lo que necesitamos no es una vo
más fuerte, ni tampoco una voz en un cuerpo físico sentado a nuestro lado
Lo que más necesitamos es aprender a escuchar. Quizá por eso Jesús dijo un
y otra vez (catorce veces en el Nuevo Testamento): "El que tiene oídos par
oír, oiga" (Mateo 11:15, por ejemplo).

Tener oídos que oigan

Quizás se pregunte: ¿cómo funciona esto? Si Dios no usa una voz audible,
si no está presente de forma física como un ser humano que habla nuestr
idioma, ¿cómo se supone que entendamos lo que nos dice? ¿Cómo podemo
tener esos oídos para oír?

Los discípulos deben haberse preguntado lo mismo cuando Jesús les dij
que se iba para regresar al Padre. ¿Qué harían sin el Dios de carne y hues
que habían experimentado a diario durante los últimos tres años? ¿Cóm
sobrevivirían sin Jesús a su lado, diciéndoles qué hacer? Más aún, ¿cóm
llevarían a cabo la misión que les había encomendado?

Pero Jesús les dio la seguridad de que no los dejaría solos ni interrumpirí
su comunicación con ellos. "El Consolador, el Espíritu Santo, a quien e
Padre enviará en mi nombre, él os enseñará todas las cosas, y os recordar
todo lo que yo os he dicho" (Juan 14:26).

Y eso fue exactamente lo que sucedió diez días después de que Jesú
ascendiera a los cielos. El Espíritu vino, el fuego descendió, y las persona
temerosas y temblorosas que se sentían tan desamparadas, luego de la muert
de Jesús, de repente estaban llenas de poder (Hechos 1-2). Más important
aún, estaban llenas del mismo Jesús.

Porque Emmanuel, "Dios *con nosotros*", había enviado al Espíritu Sant
para que fuera "Dios *en nosotros*". Y ya nada sería igual. Ni para ellos, ni par
usted, ni para mí.

El Espíritu de Dios ahora habita en el corazón de cada creyente. Y no
llena, si se lo permitimos, con todo lo que necesitamos en esta vida y en l
venidera. Nos conduce y nos guía a toda verdad (Juan 16:13). Nos confirm
que en verdad somos hijos de Dios, y muy amados (Romanos 8:15-16).

Y sí, nos habla, aunque no siempre de la forma que esperamos.

El Espíritu Santo rara vez levanta su voz. En cambio, él susurra a nuestr
corazón en una voz tierna y amorosa. Una voz que fácilmente podemos pasa
por alto o descartar, a menos que escuchemos atentamente y entrenemo
nuestros oídos espirituales para oírla.

Es una voz que se aflige fácilmente y, lamentablemente, más fácil aún e desoír o desestimar, salvo que escuchemos atentamente y entrenemos uestros oídos espirituales para oír.

EN SINTONÍA CON SU AMOR

Ie encantaría poder resumir todo en "Diez pasos sencillos e infalibles para ír la voz de Dios". Sería ideal para nuestro deseo natural de tener fórmulas ara todo. Pero Dios se comunica de forma mucho más personal e íntima ue lo que cualquier buen libro de autoayuda pudiera enseñar.

Nuestro Padre celestial sabe que la mejor forma de comunicación surge e una relación. Cualquier otra cosa es sólo un intercambio de información.)esde el principio, la meta de Dios ha sido tener intimidad con nosotros, por so tiene sentido que la capacidad de oír su voz esté íntimamente relacionada on esa meta. En otras palabras, cuánto mejor le conocemos, mejor le oímos.

Quizás esa sea una de las razones por las que Dios mantiene la voz de su spíritu tan suave y delicada; para que nos inclinemos y escuchemos con tención. Y quizá por eso no habla todo el tiempo para que valoremos cada ez que lo hace.

El Señor quiere lograr más que sólo decirnos adónde ir, qué hacer y uándo hacerlo. Quiere tomarnos de la mano y guiarnos fuera de nuestras umbas. Quiere sacarnos del miedo atrayéndonos con su dulce amor. Quiere amarnos para propósitos más importantes y lugares más profundos en uestro andar con él. Todo eso en la medida en que respondemos a su voz.

No soy una experta en oír la voz de Dios. En muchos aspectos aún soy na aprendiz. Sin embargo, creo que Dios quiere acercarse a mí y decirme erdades específicas para mis necesidades. Pero para tener oídos para oír, ebo abrir mi corazón a su voz. Y eso sucede cuando:

- en oración lo invito a mi vida diaria,
- lleno mi corazón y mi mente con su Palabra,
- me mantengo alerta a las diferentes formas en que puede hablarme,
- respondo con obediencia.

SINTONIZAR EL CORAZÓN A TRAVÉS DE LA ORACIÓN

n Santiago 1:5 se nos dice que si nos "falta sabiduría", debemos "pedírsela Dios, el cual da a todos abundantemente y sin reproche." En lugar de reocuparnos por nuestros problemas, debemos "hacerle conocer a Dios

nuestras peticiones en toda oración y ruego, con acción de gracias" (Filipense
4:6).

¡Qué invitaciones tan maravillosas! Tenemos un Padre que anhel
satisfacer nuestras necesidades. Tenemos un Dios que realmente escucha e
clamor de nuestro corazón.

De pie frente a la tumba de Lázaro, Jesús hizo una oración sorprendente
"Padre, gracias te doy por haberme oído. Yo sé que siempre me oyes" (Jua
11:41- 42). Nosotros podemos orar con esa misma confianza, gracias a l
que Jesús hizo en la cruz (Mateo 27:51). Podemos entrar confiadamente a s
presencia, no sólo creyendo, sino sabiendo que nosotros también tenemos u
Padre que oye nuestras oraciones y le importan nuestras necesidades. Inclus
nuestra necesidad de oír su voz.

Al igual que Jesús, empezamos nuestra conversación con Dios a través d
la oración. Poco a poco yo fui aprendiendo a "practicar la presencia de Dios,
ese famoso concepto del Hermano Lawrence.[5] Lo hice al invitar a Jesús a m
vida cada mañana y al hablar con él durante todo el día. Entonces comenc
a descubrir un poco más lo que Pablo quiso decir con "orad sin cesar
(1 Tesalonicenses 5:17).

Siempre pensé que debía pasar horas y horas de rodillas. En cambio, h
comprobado que es más parecido a tener una conversación constante con u
amigo. Hablar con el Señor mientras voy en el auto o lavo la vajilla. Hace
algún comentario sobre la belleza de su creación. Agradecerle por tener un
casa que puedo llamar hogar. Compartirle tanto mis preocupaciones com
mis alegrías. Sencillamente hablar con mi Salvador cada día, cada hora, cad
instante. Y a la vez escuchar con atención en caso de que quiera hablarme.

Ninguna otra cosa me ha ayudado tanto a abrir la puerta de m
comunicación con Dios como ese estilo de oración fluida, sincera y d
corazón a corazón. Pero otra cosa que ha sido de gran ayuda es escribir la
oraciones que hago en mis momentos diarios de quietud. Para mí, escribir l
que está en mi corazón me ayuda a vislumbrar algo del corazón de Dios. A
escribir me despojo de las apariencias y puedo ser sincera con Dios y conmig
misma. También descubrí que puedo grabar mis peticiones (y las respuesta
de Dios), lo que me ayuda a alimentar un espíritu de agradecimiento. Porqu
si no lo hago, cuando la respuesta llega, ¡no recuerdo lo que había pedido![6]

Debo admitir que a veces el diálogo de la oración parece un monólogo
donde la mayor parte del tiempo lo paso derramando mis preocupaciones
Pero estoy aprendiendo a darle tiempo a Dios para que me hable antes de qu

e presente mis pedidos, porque quiero orar de acuerdo a su voluntad, y no a mía. Después, trato de aquietar mi corazón y esperar, para oír palabras de abiduría que quizá desee darme como respuesta.

Siendo sincera debo decir que las respuestas a mis oraciones y la sabiduría ue necesito rara vez vienen de inmediato. Suelen revelarse progresivamente on el tiempo, y la mayoría de las veces, vienen de la Biblia.

SINTONIZAR EL CORAZÓN CON LA PALABRA DE DIOS

En mi corazón he guardado tus dichos, para no pecar contra ti," escribió David en Salmo 119:11. Si deseamos *conocer y hacer* la voluntad de Dios, no xiste nada mejor que su Palabra. Y si queremos oír su voz, una forma muy mportante de comenzar es guardando las verdades que ya ha hablado en las Escrituras.

Cuando Jesús les dijo a sus discípulos que enviaría al Espíritu Santo ara que les recordara "todo lo que yo os he dicho" (Juan 14:26), les estaba ablando de la misma obra que el Espíritu Santo desea hacer hoy con osotros. Pero, ¿cómo podría recordarnos cosas que jamás aprendimos?

Lo que ha aumentado exponencialmente mi vocabulario espiritual y me a ayudado a comprender mejor cómo obra Dios ha sido el estudio periódico le la Biblia, la memorización de las Escrituras y todas las oportunidades le escuchar la enseñanza y predicación de la Palabra. Esto también me ha rovisto de una fuente invalorable de conocimiento que el Espíritu Santo tiliza cuando tengo un problema específico o cuando Dios quiere tratar osas de mi vida.

Son incontables las veces que recibí guía a través de un versículo que lguna vez oí o memoricé. Sin hacerlo de forma consciente, un "pensamiento le Dios" emerge en mi cabeza en el momento indicado; sin duda es una alabra del Señor. Pero Dios también ha usado el poder de su Palabra para ablarme en forma directa durante mi tiempo de oración, y como resultado ni vida fue cambiada y las tumbas fueron destruidas.

Durante mis primeros años como madre, por ejemplo, luché contra una ortaleza de ira. ¡No hay nada como tener niños tercos y obstinados de tres cinco años para hacer brotar la terquedad y la obstinación de una madre! Me esforcé para cambiar mis reacciones de ira, pero nada funcionaba. No podía dejar de atacar a mis hijos. Peor aún, comencé a pensar que mi omportamiento era normal, y que hasta era de esperarse.

Pero una mañana la Biblia desmanteló todas mis excusas cuando
Espíritu Santo me habló con claridad a través de Santiago 1:20: "Porque l
ira del hombre no obra la justicia de Dios."

Todavía recuerdo estar sentada ahí, mirando esas palabras, mientras
Espíritu Santo hablaba a mi corazón. *Tu ira puede asustar a tus hijos y logra que se comporten*, me susurró con dulzura, *pero no obra la justicia que Di desea. No lo hace en ellos y de seguro no lo hace en ti.*

Esa exhortación fue el comienzo de mi sanidad. A medida que le permi
al Señor que corrigiera mi corazón para poder arrepentirme por complet
odiando de verdad mi pecado y apartándome de él, Dios comenzó a cambia
mi alma.

Aunque tomó un tiempo, hoy puedo decir con sinceridad que la ira en m
rol de madre ya no es una fortaleza para mí. Estoy eternamente agradecida
porque eso me permitió relajarme y disfrutar de Josué, nuestro pequeñ
"Benjamín". Pero también me está ayudando a ser madre de mis hijos adulto
con mayor gracia, (¡eso espero!), y con menos necesidad de controlarlos.

Sintonizar el corazón reconociendo las maneras en que me habla

Si bien la Biblia es la forma principal en que Dios me habla, no es la única. De hecho, al crecer en mi andar con el Señor, he llegado a sorprenderme cada vez más de su creatividad y de la variedad de experiencias que utiliza para comunicarse conmigo. Estoy aprendiendo a observar y escuchar cuatro maneras de hablar que el Espíritu parece utilizar con frecuencia:

- *Temas recurrentes.* Al igual que todo padre sabio, ¡Dios repite lo que dice cuando no le escuchamos la primera vez![7] Así que he aprendido a estar atenta a mensajes similares sobre temas parecidos que vienen de distintas fuentes. Si el mismo tema surge una y otra vez, por lo general es que Dios está tratando de decirme algo. Cuando el Espíritu me mostró mi problema con la ira, ¡escuché dos sermones, leí varios artículos y oí una conversación entre amigos sobre ese mismo tema!
- *Impresiones.* Esta sabiduría que viene del Espíritu suele comprender un impulso o inquietud interior de hacer algo o de tomar una dirección en particular. A veces es algo muy

específico como: "Llama a tu madre" o "Detente en esa tienda". Sinceramente, suele ser difícil discernir si el impulso es una idea de Dios o mía. Pero luego de obedecerlo, suelo mirar atrás y ver que de verdad venía de parte de Dios.

- *Confirmaciones.* Este esclarecimiento del Espíritu Santo es de vital importancia cuando no estoy segura si estoy oyendo correctamente a Dios; si la impresión que sentí o el tema recurrente que percibí es para mí en ese momento en particular. A veces la confirmación viene a través de las Escrituras o de otras personas, pero también puede venir como una sensación de paz.
- *Revisiones.* A veces, en lugar de una confirmación siento la necesidad de revisar una decisión o una acción. No siempre logro entender qué sucede, pero en mi espíritu siento que algo no está bien. Quizá no haya nada evidentemente malo en la decisión que estoy tomando, nada que moleste mi consciencia, pero no siento paz al respecto. En esos momentos recuerdo las palabras de mi madre: "Si tienes dudas, no lo hagas." Más tarde logro entender lo que el Espíritu me estaba advirtiendo, o quizás no, pero eso no es tan importante como el hecho de que haya obedecido.

No importa la forma que Dios utilice para hablarnos, es importante recordar que jamás contradecirá su Palabra. Por lo tanto, cualquier comunicación que creo que viene de él, la reviso según los principios de las Escrituras. Si no está de acuerdo con la Biblia, debo dejarla de lado, sin importar cuán convencida esté que fue la voz de Dios.

Por eso es tan importante que conozcamos la Palabra, y no sólo con nuestra mente. "La ley de su Dios está en su corazón," escribe el salmista. "Por tanto, sus pies no resbalarán" (Salmo 37:31).

SINTONIZAR EL CORAZÓN OBEDECIENDO SU VOZ

"Presten mucha atención a lo que oyen," les dice Jesús a sus seguidores en Marcos 4:24-25 (NLT). "Cuanto más atentamente escuchen, tanto más entendimiento les será dado, y recibirán aún más. A los que escuchan mis enseñanzas se les dará más entendimiento."

En otras palabras, si deseo oír a Dios, debo aprender a responder a lo que dice. No puedo esperar que el Espíritu Santo me de nuevas instrucciones si no estoy dispuesta a obedecer lo que ya me ha compartido. La obediencia abre los oídos de mi corazón y da lugar a una mayor revelación (Juan 14:15-16). Y cuánto más rápido obedezco, mejor. Porque la obediencia que se tarda es desobediencia camuflada de promesa.

Cualquier forma de desobediencia es un grave problema porque endurece la consciencia, que es el medio por el que suele hablar el Espíritu Santo. Como el cerumen en las orejas, el pecado puede taparnos los oídos y silenciar la voz de Dios. Como la rebelión nos ha distanciado de Dios, ya no oímos esa voz a nuestra espalda que dice: "Este es el camino, andad por él; y no echéis a la mano derecha, ni tampoco torzáis a la mano izquierda" (Isaías 30:21). En cambio quedamos a la deriva por el camino del pecado y jugando con fuego. Y ese es un camino muy peligroso.

Si permitimos que nuestro corazón cambie de sintonía como quiera, terminaremos oyendo puro ruido y pequeños fragmentos de sabiduría terrenal, en lugar del consejo de Dios. Inevitablemente terminaremos fuera de rumbo. Por esa razón Proverbios 16:25 nos advierte: "Hay camino que parece derecho al hombre, pero su fin es camino de muerte."

¡Pero gloria a Dios que no tenemos por qué terminar así! Podemos lograr un cambio de mente, corazón y dirección si sólo dejamos de hacer lo que estamos haciendo y confesamos nuestros pecados con sinceridad. Si nos arrepentimos de nuestra apatía hacia las cosas que sabemos que Dios ya nos ha dicho en el espíritu y por medio de su Palabra. Si permitimos que el Padre limpie nuestros corazones y lave nuestros oídos para que podamos volver a oír su voz.

Ese dulce sonido de nuestro Pastor que nos llama: "Ven, sígueme."

Seguir su voz

Yo solía preocuparme mucho por no oír la voz de Dios. Tenía mucho miedo de que cuando me hablara, por alguna razón no lo escuchara. Y pasajes como el de Lucas 10 sólo aumentaban mi preocupación.

"Mis ovejas oyen mi voz," dijo Jesús en Juan 10:27, "y yo las conozco, y me siguen." Debido a que estaba convencida de que no escuchaba la voz de Dios, me preguntaba: ¿Soy parte de su rebaño? ¿De verdad le pertenezco?

Encontré la respuesta a esas preguntas cuando volví a leer Juan 10:27. "Yo las conozco, y me siguen."

¿Se da cuenta? No es mi búsqueda de una relación lo que me permite oír al Señor. No es que sea diligente en la oración, o en la lectura de la Biblia, o en mis anotaciones. No es mi gran capacidad para percibir aquellas impresiones, ni la rapidez con que obedezco. En cambio, es el hecho de que Jesús me ama y no deja de llamarme por mi nombre. Soy su oveja escogida. Le pertenezco. Él hará todo lo que sea necesario, no sólo para que yo lo oiga, sino también para ayudarme a desarrollar oídos para oír. Y es sorprendente que está dispuesto a usar incluso mis fracasos para que me acerque a él.

Priscila Shirer lo explica de la siguiente manera: "¿Puedo equivocarme [al oír su voz]? ¡Por supuesto! Pero esa es la manera en que maduramos espiritualmente: practicando oírlo cuando habla y obedeciendo sus instrucciones... Dios tiene la gentileza de honrar el deseo de nuestro corazón de obedecerle, incluso si llegamos a estar un poco fuera de foco."[8]

Recuerde que la mejor forma de comunicación surge de tener una relación. Y las relaciones no son espontáneas. La intimidad debe alimentarse y necesita tiempo para crecer. Es un proceso paulatino.

En cierto sentido, aprendemos a reconocer la voz de Dios al igual que un niño logra reconocer la voz de su madre. Acurrucado en el vientre durante nueve meses, el hijo vive pegado al corazón de su madre en total dependencia. Acunado en sus brazos cerca de ese mismo corazón durante años, aprende a distinguir la voz de su madre sobre todas las demás.

Aun en una habitación repleta de juguetes y otras distracciones, mi pequeño Josué reconoce cuando lo llamo por su nombre. Y viene corriendo. Bueno... la mayoría de las veces.

La voz de Dios en las circunstancias

Dios jamás nos habla con métodos deslumbrantes, sino con métodos fáciles de confundir, y nos preguntamos: "¿Será la voz de Dios?" Isaías dijo que el Señor le habló "con mano fuerte", es decir, a través de la presión de las circunstancias. Nada toca nuestra vida, sino que es Dios mismo que nos está hablando. ¿Distinguimos la mano de Dios o sólo vemos simples ocurrencias?

Desarrolle el hábito de decir: "Habla, Señor," y su vida se convertirá en un romance. Cada vez que las circunstancias le presionen, diga: "Habla, Señor," y tómese un tiempo para oír. El reproche es más que un medio de disciplina, es un medio para llevarme a decir: "Habla, Señor." Recuerde un momento en que Dios le haya hablado. ¿Olvidó lo que dijo? ¿Fue Lucas 11:13, o fue 1 Tesalonicenses 5:23? A medida que escuchamos, nuestros oídos se agudizan y, al igual que Jesús, llegaremos a escuchar a Dios en todo momento.[9]

Oswald Chambers

Así ha dicho Jehová, Redentor tuyo, el Santo de Israel:
Yo soy Jehová Dios tuyo,
que te enseña provechosamente,
que te encamina por el camino que debes seguir.

Isaías 48:17

Digamos que Josué está *aprendiendo* a venir corriendo.

Así como yo estoy aprendiendo a responder a la voz de mi Padre... aun cuando parezca estar muy lejos.

ESPERAR A OÍR

Me gustaría poder decir que mi vida con Cristo es ahora una larga e ininterrumpida conversación. Siendo sincera debo reconocer que mi recepción espiritual no es así de buena todavía. Pero está llegando a ese nivel, ¡gracias a Dios!

Al pasar tiempo en oración, desarrollo el hábito de conversar con el Señor. Cuando estudio su Palabra almaceno en mi interior ricos principios que se pueden traer a mi mente cuando los necesito, y a medida que presto atención a las formas en que el Espíritu Santo podría hablar, obedezco lo que siento que me está diciendo y entonces llego a estar más sintonizado con su voz y más apto para oír cuando él me llama.

Sin embargo, debo decir que hay ocasiones cuando la conversación parece más un monólogo que un diálogo. Momentos en que siento que mis llamadas no están llegando. Como si hubiera un problema de mala recepción en los teléfonos celestiales.

"¿Aló? ¿Estás ahí, Señor?" pregunto. "¿Puedes oírme?"

A veces esas fallas en la recepción se alargan y se convierten en prolongados períodos de silencio. Aunque escucho con toda la atención que me es posible, o por lo menos procuro hacerlo, sencillamente no puedo oír nada.

Estoy convencida que hay tiempos así en la vida de todo cristiano. Momentos en que parece que las Escrituras no nos dicen nada y en que todos los esfuerzos por tener comunión en la oración, al parecer rebotan en el cielo raso y se estrellan en el suelo. Ocasiones cuando las densas tinieblas de las dificultades no solamente nos hacen sordos, sino que también nos ciegan y nos dejan andando a tientas en la oscuridad.

En momentos como esos he llegado a creer que tenemos que volver a lo que sabemos acerca de Dios, no a lo que estamos experimentando en el presente. Porque, como una amiga me recordó en uno de mis tiempos de oscuridad y silencio: "Durante un examen el maestro siempre guarda silencio."[10]

A menudo creemos que la voz de Dios es igual a su favor. Cuando él habla nos sentimos amados. Cuando guarda silencio luchamos con el temor de que le hemos defraudado o dudamos de que él nos ama y nos preguntamos si realmente se preocupa por nosotros. Siempre es importante, por supuesto, revisar nuestro corazón y asegurarnos de que el pecado no esté bloqueando nuestra relación con Dios. Pero el pecado no es la única razón de su silencio. Puede haber algo más de lo que nosotros sabemos.

He encontrado aliento en una pequeña historia que una vez leí. Se trataba de una mujer que en sueños vio a tres personas orando. Mientras estaban arrodilladas vio que Jesús se acercó a la primera figura, se inclinó tiernamente sobre ella y le habló "con el más puro y dulce acento musical". Luego pasó a la siguiente y tiernamente le puso una mano en el hombro y le hizo un gesto de "amorosa aprobación". Pero lo que ocurrió después dejó perpleja a la mujer del sueño:

> Jesús pasó abruptamente por el lado de la tercera mujer sin detenerse ni darle una palabra, ni una mirada. La mujer que tuvo el sueño pensó dentro de sí: *Cuánto debe amar a la primera; a la segunda le dio su aprobación, pero ninguna demostración de amor de las que dio a la primera; y la tercera debe haberlo afligido profundamente porque no le habló ni una palabra, ni le dio siquiera una mirada al pasar. ¿Qué hizo ella y por qué las trató de tan diferente manera.*
>
> Mientras reflexionaba sobre la acción de su Señor, él mismo se puso a su lado, y le dijo: "¡Oh, mujer! Qué erróneamente me has

> interpretado. La primera mujer que estaba arrodillada necesita todo el peso de mi ternura y cuidado para mantener sus pies en mi estrecho camino. Ella necesita mi amor, mis pensamientos y mi ayuda en cada momento del día. Sin ellos caería y fracasaría."
>
> "La segunda tiene una fe más fuerte y un amor más profundo y puedo confiar que ella confiará en mí no importa lo que ocurra y lo que la gente le haga."
>
> "La tercera, la cual aparentemente no noté y al parecer descuidé, tiene una fe y un amor de la mejor calidad, y la estoy entrenando mediante procesos drásticos y rápidos, para el servicio más alto y santo."
>
> "Ella me conoce tan íntimamente y confía en mí de una manera tal que no necesita de palabras o miradas que le muestren exteriormente mi aprobación pues sabe que estoy obrando en ella para la eternidad, y que lo que yo hago, aunque ella no lo entienda ahora, lo entenderá después."[11]

Querido amiga o amiga, no tema en los momentos cuando Cristo parece "callar de amor" (Sofonías 3:17); cuando él "no responde ni una palabra" (Mateo 15:23). Porque Dios está haciendo en su vida y en la mía algo más que sólo darnos el consuelo de su voz.

Él está obrando en nosotros para la eternidad. Quiere poder decir de nosotros "ella, o él, me conoce tan bien que puedo confiarle mi silencio."

Tal como lo dice Lettie B. Cowman: "Los silencios de Jesús son tan elocuentes como sus palabras y pueden ser una señal no de su reproche sino de su aprobación y de un determinado propósito de bendecirlo."[12]

Así que en los tiempos en los cuales Dios guarda silencio, confíe en él y espere. Porque cuando llegue el momento apropiado volverá a oír de él.

De hecho el mismo acto de esperar nos pone en sintonía de su voz mucho mejor que cualquiera otra disciplina espiritual. Porque he descubierto que Dios suele hablar en medio de la noche. Cuando estoy en silencio. Cuando mi corazón se enfoca en él y mis oídos están listos para oír.

Cuando conduzco mi vehículo en las oscuras autopistas de Montana tarde en la noche puedo sintonizar emisoras de todo el país. Estaciones de Texas que transmiten en español. Comentarios financieros desde Nueva York. Radioemisoras religiosas desconocidas de no sé dónde.

Tantas voces. Tantas opciones. Pero si tomo tiempo para afinar la sintonía n medio del ruido, encuentro la emisora que busco.

Lo mismo ocurre en el campo espiritual. Si con cuidado sintonizo mi orazón con lo real, lo falso desaparece. Hasta que escucho la Voz que necesito.

El Amor, pronunciando mi nombre.

Y respondo.

Y habiendo dicho esto, clamó a gran voz:
¡Lázaro, ven fuera!

Y el que había muerto salió,
atadas las manos y los pies con vendas,
y el rostro envuelto en un sudario.
Jesús les dijo: Desatadle, y dejadle ir.

Juan 11:43-44

8

Desatando mortajas

"Maestro, ¿haciendo qué cosa heredaré la vida eterna?" le preguntó un experto religioso a Jesús una tarde, a mediados de su ministerio (Lucas 10:25). No es que al hombre de verdad le importara oír la respuesta. Sólo hizo la pregunta para probar a Jesús; cosa que solía suceder con frecuencia. Los líderes religiosos de Jerusalén se esforzaban por desacreditar a este advenedizo profeta de Galilea, a este hereje que amenazaba todo lo que ellos representaban, especialmente su poder y su posición.

Pero en lugar de enfrascarse en un debate, Jesús le devolvió la pregunta. "¿Qué está escrito en la ley? ¿Cómo lees?" (v. 26).

Puedo imaginarme al hombre acomodando sus túnicas de erudito mientras comenzaba a citar las Escrituras con voz fuerte y piadosa: "Amarás al Señor tu Dios con todo tu corazón, y con toda tu alma, y con todas tus fuerzas, y con toda tu mente; y a tu prójimo como a ti mismo" (v. 27).

Jesús debe haberle sonreído al hombre cuando le dijo: "Bien has respondido; haz esto, y vivirás" (v. 28).

No era exactamente la respuesta que este provocador de turno estaba esperando. Súbitamente inseguro, el experto devolvió el primer argumento que le vino a la mente, aunque debe haber sonado débil aun a sus propios oídos. "¿Y quién es mi prójimo?" preguntó (v. 29).

En respuesta, Jesús contó una historia que de seguro inquietó a ese hombre

y a todos los que la oyeron; una historia que los desafió a ir más allá de l
intolerancia e hipocresía que con mucha frecuencia caracterizaba su religión
La historia del buen samaritano, como en el pasado, desafía a lo
seguidores de Jesús el día de hoy.

Porque esta parábola sencilla echa por tierra muchas de las excusa
y argumentos bien pensados que los cristianos solemos utilizar cuand
intentamos escapar del llamado de Dios a un amor práctico pero radical
más allá de las teorías.

Una historia con un héroe inesperado

Quizás conozca la historia. Se encuentra en Lucas 10:30-35.

> Jesús dijo: "Un hombre descendía de Jerusalén a Jericó, y cayó en manos de ladrones, los cuales le despojaron; e hiriéndole, se fueron, dejándole medio muerto. Aconteció que descendió un sacerdote por aquel camino, y viéndole, pasó de largo. Asimismo un levita, llegando cerca de aquel lugar, y viéndole, pasó de largo. Pero un samaritano, que iba de camino, vino cerca de él, y viéndole, fue movido a misericordia; y acercándose, vendó sus heridas, echándoles aceite y vino; y poniéndole en su cabalgadura, lo llevó al mesón, y cuidó de él. Otro día al partir, sacó dos denarios, y los dio al mesonero, y le dijo: 'Cuídamele; y todo lo que gastes de más, yo te lo pagaré cuando regrese'".

¿Qué tenía esta parábola que incomodó tanto a la elite religiosa del tiemp
de Jesús? ¿Qué tiene esta historia que atrae en la actualidad la atención d
quienes no conocen el evangelio?

Quizá lo que resalta más es la revelación de nuestra propia condición
humana. Porque, ¿quién de nosotros no se sintió alguna vez desnudo
golpeado y dejado por muerto? La vida es dura y generalmente injusta. En
un momento podemos estar metidos en nuestros asuntos y al siguiente, cae
en coma, casi sin respirar. Maltratados al lado del camino buscando ayuda
muchos de nosotros hemos sentido la fría sombra de la indiferencia al ve
que las personas pasaban, veían nuestra condición, pero no hacían nada para
aliviarla. Quizás también sepamos lo que es ver un problema y sentir que no
podemos ayudar. Con razón esta historia tiene tanto impacto.

Lo que le da a la historia dimensiones míticas, creo yo, es el efecto de orpresa total. Resalta la compasión de un héroe inesperado (un samaritano, a uienes los judíos de la época de Jesús consideraban lo peor de lo peor) frente la indiferencia desgarradora de las personas a quienes, por sus funciones, les ebería haber importado más.

"Si vieres el asno de tu hermano, o su buey, caído en el camino," manda euteronomio 22:4, "no te apartarás de él; le ayudarás a levantarlo." Sin uda, un hombre herido merece tanto más cuidado que un torpe animal. Y in embargo, en la historia de Jesús, tanto el sacerdote como el levita, siervos e Dios, encargados de ministrar a su pueblo, pasaron de largo sin detenerse.

Por supuesto que tenían sus razones. Ambos "estaban apurados," sugiere enry M. Grout.

> Habían estado un mes en Jerusalén, y los querían de regreso en sus casas. Sus esposas e hijos los esperaban con ansias. El sol pronto se ocultaría, y aquel camino era solitario, incluso a la luz del día. Ninguno de ellos entendía sobre cirugías, ni sabían vendarse una herida para salvar su propia vida. Además, el pobre hombre, ya medio muerto, moriría en una o dos horas, y era una lástima usar ese tiempo en un caso perdido. Más aún, los ladrones podrían regresar. O el hombre podía morir, y la persona que se encontrara cerca del cuerpo podía ser acusada de asesinato.[1]

Excusas válidas, todas ellas. Pero como nos recuerda David O. Mears: "No siempre es práctico ser bueno."[2] En especial cuando va contra nuestro gocentrismo.

Practicar el amor inconveniente; a eso fuimos llamados como cristianos. "sobrellevar los unos las cargas de los otros," como nos dice Gálatas 6:2, orque "cumplimos así la ley de Cristo".

BESAR SAPOS

La transformación siempre ha sido parte de los cuentos de hadas: los harapos de Cenicienta se convierten en un vestido reluciente y el amor de la Bella rompe la maldición de la Bestia. Sin embargo, ningún cuento de hadas se compara con la transformadora historia de amor que Jesús anhela hacer realidad en nosotros. Lo sorprendente es que si bien somos parte de esa historia, Dios también desea que le ayudemos a escribirla. Wes Seeliger lo explica a la perfección, utilizando un conocido cuento para describir la importante obra que los seguidores de Cristo somos llamados a compartir: "desatar las mortajas".

> ¿Alguna vez se sintió como un sapo? Los sapos se sienten lentos, bajos, feos, hinchados, cansados, hechos polvo. Yo lo sé. Uno de ellos me lo contó. El sentimiento de sapo viene cuando uno desea ser brillante pero se siente tonto, cuando quiere compartir, pero es egoísta, cuando quisiera ser agradecido, pero tiene resentimiento, cuando desea ser grande, pero es pequeño, cuando quiere mostrar interés pero es indiferente.
>
> Sí. En algún momento u otro, todos hemos flotado río abajo sobre una frágil balsa de lirios en el gran río de la vida. Asustados y asqueados; demasiado sapos como para movernos. Érase una vez un sapo. Pero en realidad no era un sapo. Era un príncipe que parecía y se sentía como un sapo. Una bruja malvada lo había hechizado. Sólo el beso de una hermosa doncella podía salvarlo. ¿Pero desde cuándo las doncellas hermosas besan sapos? Así que allí estaba, un príncipe sin beso, y con aspecto de sapo. Pero los milagros suceden. Un día una hermosa doncella lo alzó y le dio un dulce beso, y ¡zas! Ahí estaba un apuesto príncipe. Y usted ya conoce el resto de la historia. Vivieron felices para siempre. Entonces, ¿cuál es la tarea del cristiano? Besar sapos, por supuesto.[3]

Con toda humildad y mansedumbre,
sopórtense con paciencia
los unos a los otros en amor.

Efesios 4:2

Pero semejante amor no suele ser sencillo. De hecho, puede ser totalmente complicado. En especial cuando Dios nos pide que desatemos mortajas.

¡Suéltenlo y déjenlo ir!

No puedo imaginarme lo que habrá sido ver a Lázaro arrastrando los pies mientras salía de la oscuridad de la tumba, envuelto en aquellas angostas franjas de lino, según era la costumbre de la época. Es probable que sus brazos y piernas hayan estado envueltas individualmente, lo que le habría permitido moverse. Pero sería poco decir que el hombre estaba aprisionado.

Seguramente el hedor de la muerte aún lo rodeaba. Dependiendo de la enfermedad, sus ropas podían tener manchas de sangre aquí y allí, mezcladas con el amarillo seco de las infecciones. Si bien quienes le amaban, al verle, le recibieron con agrado, contemplar al Lázaro resucitado debe haber sido un poco aterrador.

Me pregunto que habrán pensado María y Marta cuando Jesús dijo: "Desátenlo y déjenlo ir" (Juan 11:44). Si bien yo estaría muy feliz de ver a mi hermano vivo, no querría tocar las franjas de lino pegadas a su carne putrefacta. Después de todo, ¿quién sabe qué había debajo de esas vendas? ¿Qué tan resucitado estaba?

Quitar las mortajas. Es un trabajo sucio, pero alguien tiene que hacerlo.

Alguien tiene que hacerlo. Y ese es uno de los factores que más me estremecen de la historia de Lázaro. Porque, si bien Jesús hizo lo que sólo él podía hacer (volver un muerto a la vida), también invitó a quienes estaban parados alrededor mirando a que ayudaran en el proceso.

"Desatadle, y dejadle ir." Es la misma orden que Cristo le da a la iglesia hoy.

Me encanta lo que dice Jerry Goebel sobre este pasaje de las Escrituras. "La tarea de Cristo es traer vida; la tarea de la congregación es desatar a las personas de las ligaduras de muerte. Las palabras que Cristo pronuncia son tan ricas. Literalmente le dice a la 'congregación': 'Destruyan lo que le está atando. Envíenlo totalmente libre'".[4]

Lamentablemente, la mayoría de nosotros preferiría observar una resurrección en lugar de participar de ella. Como el sacerdote y el levita que pasaron cerca del hombre herido, eludimos involucrarnos en la tarea de resucitar a alguien a través del amor. Algunos de nosotros incluso preferimos actuar como cínicos y no creer que Dios haya hecho un cambio verdadero en la persona, o que el cambio pueda ser permanente.

"Con demasiada frecuencia jamás desatamos a quienes Cristo ha resucitado," dice Goebel. Preferimos mirarlos con los ojos arrogantes del escepticismo. Estamos más entusiasmados cuando fallen que cuando cambien… [y respecto a lo que experimentan]: 'Oh sí, bueno. Sé lo que s siente, y sólo le durará un mes'".[5]

Ese tipo de actitud le parte el corazón de Dios; e incluso puede agrega una capa más de mortajas a una persona que está intentando salir de l tumba de su pasado. Goebel afirma:

> Atamos a la gente con nuestras actitudes hacia ella. La atamos cuando persistimos en recordar sus faltas en vez de estimular y alentar sus esfuerzos por cambiar. Atamos a las personas cuando no las perdonamos, cuando murmuramos con otros acerca de sus faltas. Cuando tratamos a la gente basándonos en nuestra pequeñez más que en la abundancia del Señor, los mantenemos atados. Los desatamos cuando decidimos ver nueva vida en ellos. Cuando alabamos a Dios; cuando los perdonamos; cuando les sonreímos y les damos la bienvenida diciendo: "Me alegra tanto que esté aquí; ¿lo acompaña alguien hoy?"
>
> Los liberamos mayormente cuando los buscamos en sus tumbas y "en su sueño de muerte", y les ordenamos en nombre de Cristo entrar en una nueva vida.
>
> Siempre que tratamos a otros partiendo de la grandeza de Cristo y no de nuestra propia pequeñez, los estamos liberando.[6]

Ese es el trabajo al cual somos llamados como hermanos y hermana en el Señor: desatar mediante el amor y la aceptación a quienes Jesús h resucitado. Sin embargo, como ya lo hemos señalado, ayudar a otros a entra en una nueva vida puede ser un proceso no muy limpio y ordenado. Aunqu una persona haya recibido a Cristo como Salvador, tomará bastante tiemp y esfuerzo antes que el ser exterior se ajuste a la obra interior. Ninguno d nosotros nace, o renace, en este mundo limpio e impoluto.

Y si Dios no se siente incómodo por el mal olor,[7] ¿por qué nosotros sí?

El poder del amor

Desatar mortajas, ¡qué llamado y qué privilegio tan extraordinario! Pero ¿qué es en sí, y cómo lo realizamos? Lamentablemente no existe ningú molde ni ninguna guía estándar para todos los casos. Pero habiendo tenid l privilegio de ser criada por un hombre que ama tanto a Jesús que es un ·pasionado por la tarea de hacer que la gente lo conozca, he sido testigo ›resencial de unas cuantas resurrecciones.

Una de las cosas que más alegría le ha proporcionado a mi padre ha sido el ninisterio en la cárcel del condado en los cincuenta años pasados. Todos los lomingos él y un grupo de su iglesia realizaron reuniones cristianas para los ıombres y mujeres encarcelados allí. Mediante los cantos, la enseñanza de a Palabra de Dios y los testimonios personales, han podido ver asombrosos ıctos de Dios en las vidas de los prisioneros que han entregado su corazón ı él.

Sin embargo, mucho tiempo atrás papá se dio cuenta de que su responsabilidad no terminaba cuando alguien aceptaba la salvación. De modo que se ha esforzado para discipular a los nuevos convertidos haciéndoles seguimiento hasta el punto de ayudarles a encontrar un trabajo, una iglesia, y un lugar donde vivir después de haber salido de prisión.

De vez en cuando, durante mi niñez y adolescencia, ese lugar fue a veces nuestro hogar. No era raro tener viviendo con nosotros a algunas de esas personas durante un período de transición de unos pocos días o semanas.

Supongo que tal hospitalidad sería considerada demasiado peligrosa aún en nuestros días. En ese entonces era casi un milagro.

Desatar mortajas; eso fue lo que Cliff y Annette Gustafson hicieron sistemáticamente. Los brazos abiertos de mi madre expresaban aceptación y poco a poco rompían las ataduras del rechazo que habían aprisionado los corazones durante años. El amor de Papá por el Señor, y su compromiso con la familia, eran un modelo de vida que algunos jamás habían visto. No siempre fue un proceso nítido, pero sí valioso. Aunque muchos de los hombres y mujeres a quienes Papá ministro se fueron y no se volvió a saber nada de ellos, otros prosperaron y todavía siguen prosperando.

Pero los prisioneros y los que salieron no fueron los únicos beneficiados por el trabajo de mis padres. Yo también lo fui. Ver su amor y sus manos en acción me enseñó varias lecciones que demostraron ser invaluables en mi propio esfuerzo por servir al Señor mediante el servicio a la gente.

¿Qué aprendí? En primer lugar que no soy responsable por todos pero sí por aquellos a quienes el Señor me señala.

La mayoría de las personas a quienes Papá ministró no estuvieron en nuestro hogar, pero cuando se sintió impulsado a andar la milla extra, es decir, a hacer algo más en su favor, pedía la confirmación de mi madre. Si estaban de acuerdo hacían lo que sentían que Dios quería que hicieran, ya fuera abrirles el hogar, prestarles el carro, o invertir financieramente en la vida de alguien. Lo que Dios les pidió hacer lo hicieron de la mejor manera de acuerdo a su capacidad.

Segundo, aprendí a entregar a Dios mis expectativas respecto a las personas que procuro ayudar.

Las historias que observé en el ministerio de mis padres no siempre tuvieron un final feliz, al menos que supiéramos. La mayoría de esas personas llegó y salió de nuestras vidas en pocos días

Hubo veces en que abusaron de la generosidad de mis padres. Algunos "huéspedes" se enojaron cuando mis padres sintieron que su trabajo había concluido. Si mamá o papá lo hubieran hecho esperando el agradecimiento o el aprecio de los demás, habrían renunciado mucho tiempo atrás.

Lo que nos lleva a la lección más importante que aprendí viéndolos quitar mortajas: obedecer la dirección de Dios, y luego dejarle los resultados a él.

Después de visitar a las Misioneras de la Caridad en Calcuta, India, un político americano le preguntó a la Madre Teresa cómo podía continuar haciendo lo que hacía sin sentirse desanimada. Después de todo, las personas que las monjas cuidaban estaban tan enfermas que la mayoría moría al cabo de unas semanas. "Dios no me llamó a ser exitosa," respondió la religiosa. "Dios me llamó a ser fiel."[8]

Ese es el llamado al que mis padres respondieron hace unos cincuenta años; el mismo llamado que cada uno de nosotros tiene como cristiano. Amar a aquellos que él nos da. Ministrarles así como les encontramos. Quitarles con delicadeza esos trapos repugnantes y la mugre de la tumba con la Palabra de Dios. Desatarles, una a una, las mentiras que resecaron sus almas. Y luego cubrir su desnudez con nuestro amor y aceptación, así como Cristo cubrió la nuestra.

Porque "cuando lo hacemos a los más pequeños," dijo Jesús, se lo hacemos a él (Mateo 25:40). Porque Jesús ama a las personas. Incluso a las personas atadas que aún se sienten casi muertas.

Muertos que andan

Mi amiga Sara[9] sabe lo que se siente y lo que es volver a la vida pero andar tambaleándose por las mortajas. Su historia parece una novela de televisión, y una de esas bien exageradas, con problemas familiares, batallas legales, pérdidas, traición, todo lo que se imagine. La primera vez que oí su historia, pensé que era imposible que una sola persona atravesara tanto sufrimiento en tan poco tiempo. Y sin embargo, así fue.

Como resultado, Sara vivió durante la última década en una tumba de confusión y vergüenza extremas. Envuelta en angustia por las cosas que había hecho. Ahogada por sentirse falsamente responsable de pecados que otros cometieron.

La primera vez que nos encontramos, sentadas en aquel cuarto de oración, ella no podía mirarme a los ojos.

Temerosa de que alguien más traicionara su confianza, mantuvo su cabeza gacha mientras, entre lágrimas, me contaba su historia. El dolor se hacía literalmente palpable a medida que ella derramaba los detalles de una vida que parecía destruida más allá de toda restauración.

Dios nos había permitido que nos conociéramos de forma divina; ninguna de las dos podía negarlo. Era hora de salir de la tumba. El amor llamaba su nombre. Pero, ¿desenvolver las mortajas? ¿Abrir su corazón y arriesgarse al rechazo? Creo que nos aterrorizaba a las dos.

Así como para Sara era difícil confiarme su historia, debo admitir que yo temblaba al oír su sufrimiento. Conozco mis falencias: mis buenas intenciones y mi pésima capacidad de seguimiento. ¿Y si la decepcionaba? ¿Y si se iba más herida de lo que había venido, con las mortajas aún más atadas a su alrededor?

"¿Podré volver a estar bien?" preguntó finalmente, dejando que sus ojos temerosos me miraran por un segundo. Estiré mi brazo, tomé su mano y le aseguré que tenemos un Dios especialista en hacer nuevas todas las cosas (Apocalipsis 21:5). Luego llevamos juntas toda su confusión al Señor en oración. Expusimos la historia de su vida antes Jesús. Llevamos el dolor, la decepción, y la traición a Aquel que sintió todo lo que ella había sentido y más. Se lo entregamos al Único que puede sanar un corazón con heridas que superan todo remedio humano.

Su sanidad no ha sido rápida. Sara es la primera en reconocer que ha sido un camino donde se ha detenido y vuelto a empezar. Un paso adelante fuera de la tumba, y de repente, casi sin aviso, dos pasos hacia atrás. Soltar una capa de mortajas, para luego ajustar aún más la capa siguiente. Y a pesar de eso, ha progresado. ¡Un progreso verdadero y que se puede medir!

Ha sido un gran privilegio ayudar a Sara a desatarse de sus mortajas. Pero

en medio de este proceso Dios me recuerda que existen límites en la tarea a l
que me ha llamado. Si intento hacer más de lo que me pide, podría termina
haciendo un daño mayor.

LA CRISÁLIDA

En su devocional clásico *Springs in the Valley* [Manantiales en el valle], Letti
B. Cowman cuenta la historia de un naturalista que descubrió una gra
mariposa que aleteaba frenéticamente, como si estuviera angustiada. Parecí
estar atrapada. El hombre se agachó, la tomó por las alas, y la liberó. L
mariposa voló unos pocos metros antes de caer al suelo, muerta.

Bajo una lupa en su laboratorio, el naturalista descubrió que salía sangr
por unas pequeñas venas en las hermosas alas de la criatura. Entonces s
dio cuenta que, sin quererlo, había interrumpido algo muy importante. E
aleteo frenético de la mariposa era en realidad su intento por salir de su
estado de crisálida, un proceso de fortalecimiento creado por Dios. Si se le
hubiera permitido luchar lo suficiente, la mariposa habría salido preparada
para un vuelo largo y extenso. Pero la liberación antes de tiempo puso fin a
ese hermoso sueño.

Así es con los hijos de Dios, escribe la señora Cowman.

> *Cuánto desea el Padre que sus hijos tengan una gran gama de experiencias y de verdad. Por eso permite que estemos sujetos a algún tipo de lucha. Quisiéramos liberarnos a la fuerza.* Clamamos con angustia y a veces pensamos que Dios es cruel por no liberarnos y por permitir nuestro esforzado aletear. A veces parece que su plan es que luchemos.[10]

Quizás fue por eso que Lázaro tuvo que salir de su tumba por su propia voluntad; tal vez esa fue la razón por la que Jesús le dijo que saliera, en lugar de enviar a Marta y a María a que lo sacaran. Parece ser que la resurrección suele requerir de una respuesta de la voluntad, o más aún, una lucha de parte de quien ha de resucitar. Las tumbas pueden ser cómodas, recuérdelo. Y elegir vivir puede ser muy difícil.

Quienes fuimos llamados a quitar las mortajas de otros necesitamos entender esa lucha. También necesitamos tener en claro cuál es nuestra area... y cuál no. Seremos tentados a acortar ese largo y doloroso proceso que necesita la persona para librarse de la muerte. Pero si insistimos en interrumpirlo e interferir, no importa cuán buenas que sean nuestras intenciones, corremos el riesgo de estropear el plan de Dios e incapacitar espiritualmente a quienes intentamos ayudar.

COLABORADORES, NO SUPLANTADORES

A comienzos de mi ministerio aprendí una verdad muy importante: Existe un único Salvador, y no soy yo.

De hecho, causo un gran perjuicio a obra de Cristo cuando intento desempeñar una función que sólo él puede realizar. Y también saboteo el proceso cuando hago las cosas que deberían hacer las personas que están resucitando.

A veces el ministerio puede ser embriagador. Ser aquel a quien un necesitado recurre en busca de ayuda y de respuestas puede ser extrañamente satisfactorio. Pero también puede ser peligroso... en especial cuando nos creemos la mentira de que todo depende de nosotros. Que, de alguna manera, estamos destinados a ser el Mesías de esa persona.

"Si usted se convierte en una necesidad para un alma, está fuera del orden de Dios," afirma Oswald Chambers.

> Como obrero, su gran responsabilidad es ser amigo del Esposo... En lugar de tender la mano para evitar la agonía o el dolor [en la vida de una persona], ore para que crezca diez veces más fuerte hasta que no exista poder en la tierra o en el infierno que pueda alejar a esa alma de Jesucristo. Una y otra vez nos convertimos en providencias aficionadas, interferimos, frenamos a Dios, y en la práctica decimos: "Esto no puede ser, y aquello tampoco." En lugar de cumplir como amigos del Esposo, ponemos nuestra compasión en el medio. Y un día aquella alma dirá: "Ese fue un ladrón, me robó mi amor por Jesús, y perdí mi visión de él."[11]

Amigos del Esposo... eso es lo que somos llamados a ser. Fieles a Cristo y a su obra en la vida de aquellos a quienes ministramos, en lugar de ser fieles a nuestras opiniones sobre cómo se debería realizar esa obra.

Inevitablemente encontraremos momentos en que los tiempos y métodos de Dios parecerán un poco crueles, momentos en los que él permitirá situaciones que confundirán nuestro entendimiento. Pero si damos un paso hacia atrás, y le dejamos el espacio a Dios, descubriremos que nuestro Padre de verdad sabe lo que es mejor.

Porque Dios siempre ha estado más interesado en moldear el carácter de sus hijos que ofrecerles sólo comodidad.

En liberar a las personas, en vez de dejarlas como están.

Y con ese propósito nos llama a unirnos a él en su obra. Pero lo sorprendente es que podemos hacerlo mejor… no con nuestras manos, sino con nuestras rodillas.

INVERTIR EN LA LIBERTAD

Cuando el samaritano vio al hombre herido tirado al lado del camino, no sólo reaccionó con compasión, sino que hizo todo lo que pudo. Vendó las heridas del hombre, lo llevó a una posada, y parece ser que pasó la noche cuidando del desconocido. Finalmente tuvo que dejar al hombre herido al cuidado del mesonero, así como nosotros tenemos que encomendar la obra final de sanidad a Dios, y solamente a él.

Pero ahí no llegó a su fin el compromiso activo del buen samaritano. Después de dejar pagado el alojamiento del herido por varios días, el hombre de Samaria prometió volver y pagar cualquier gasto extra en que el dueño de la posada pudiera incurrir.

¡Oh, cuánto anhelo yo mostrar ese mismo amor sacrificial y esa misma tenacidad cuando se trata de ayudar a mis hermanos y hermanas a experimentar una nueva vida!

Quiero ver a las personas liberadas. Estoy cansada de ver a la gente salir de la iglesia tan atada como cuando entró. De mirar a las personas luchando durante años con los mismos problemas, las mismas esclavitudes y adicciones

LECCIONES DEL BUEN SAMARITANO

Todos queremos ser usados por Dios para ayudar a otros. Pero no siempre sabemos cómo sería esa ayuda. La historia del Buen Samaritano ofrece varias lecciones para ayudar a definir nuestra respuesta cuando vemos a alguien en necesidad:

1. ***El Buen Samaritano no se limitó a observar sino, que actuó.*** Otras personas pasaron, vieron al hombre herido y siguieron su camino, pero él "fue movido" por la compasión. No solamente se sintió mal por la situación del hombre, sino que fue movido a hacer algo para aliviar su dolor (Proverbios 3:27).
2. ***Usó su aceite, su vino y su cabalgadura.*** No subestime lo que su acción puede significar para alguien que está necesitado. La inversión de sus recursos prácticos, su apoyo emocional y su precioso tiempo pueden hacer toda una diferencia para un alma dolorida. Una nota amable, una comida caliente, una disposición a escuchar: lo poco es mucho cuando Dios lo acompaña (Santiago 2:16; Gálatas 6:2).
3. ***Se desvió de su camino para prestar ayuda.*** La compasión inicial se puede desvanecer con rapidez especialmente cuando ayudar a otros resulta incómodo. El Buen Samaritano pudo haber dejado al hombre en la posada y haber seguido su camino, pero en cambio estuvo a su lado haciendo el trabajo duro: lavando sus heridas y acompañándolo durante una noche larga y dolorosa (Gálatas 6:9).
4. ***Dejó al hombre en buenas manos.*** Habrá ocasiones cuando las necesidades de una persona quizá superen nuestra capacidad de ayudarla. Momentos cuando se necesita a un pastor, un consejero cristiano u otro profesional. Conectar a la gente necesitada con otros recursos puede ser a veces lo más importante que podemos hacer (Proverbios 13:10).
5. ***Prometió permanecer comprometido en el proceso.*** Un seguimiento para ver cómo va la persona necesitada es importante, aunque en ocasiones Dios quizá nos pida que hagamos más. No importa lo que se requiera, jamás subestime la importancia de la intercesión: interceder ante Dios como lo hizo el profeta Ezequiel (22:30), batallando para lograr la victoria final en la vida de las personas a quienes ministramos.

Entonces el Rey, les dirá:
De cierto os digo que en cuanto lo hicisteis
a uno de estos mis hermanos más pequeños,
a mí lo hicisteis.

Mateo 25:40

sin conocer la victoria. Quiero ver a la gente liberada. ¿No desea usted lo mismo?

De acuerdo con la Biblia, tal libertad generalmente implica un compromiso específico, y costoso, de parte suya y mía. Además de nuestro interés amoroso y práctico, la verdadera transformación y sanidad de una vida, casi siempre va precedida por un esfuerzo de oración.

Tras tres décadas de ministerio estoy empezando a comprender que la mejor manera de desatar las mortajas de otras personas es mediante la intercesión. Pero, ¿puedo decirle algo con sinceridad? Orar suele ser lo último que yo hago. Me avergüenza admitir que soy mucho más rápida para meter mi mano en los problemas y necesidades de la gente que para acudir al cielo en su nombre. Con razón a menudo termino haciendo o mucho, o muy poco.

La lectura del libro *Penetrando las oscuridad* de Frank Peretti me ha ayudado a cambiar radicalmente la forma en que visualizo la oración. Aunque es un relato de ficción, ofrece una importante visión de la batalla espiritual que se libra alrededor de cada uno de nosotros, y muestra el rol vital que desempeña la intercesión en el mundo espiritual.

Usted se preguntará, como yo lo he hecho, si de veras la oración hace alguna diferencia. Me gusta el cuadro que pinta Peretti en su fascinante historia. Aunque una pesada oscuridad espiritual yace como una nube densa sobre el pequeño poblado, cada vez que se eleva una oración aparece un hueco pequeño en esas tinieblas. Mientras más se ora hay más huecos que permiten que la luz de la verdad y la iluminación del Espíritu alcancen el corazón y la mente de quienes viven allí.[12]

Si tan solo nos diéramos cuenta de lo poderosa que puede ser nuestra intercesión, y de cómo ella pone en acción el poder de Dios en la vida de las personas e influencia la batalla espiritual que está en curso a nuestro alrededor, oraríamos más.

De hecho, creo que invertiríamos diariamente en la libertad de las demás personas y pasaríamos sobre nuestras rodillas en oración tanto tiempo como fuera necesario para que ocurra su resurrección y se rompan y caigan las mortajas que les atan. Las levantaríamos hasta el trono de la gracia hasta que estén en condiciones de hallar por sí mismas el camino hacia el lugar santísimo. Las cubriríamos con la preciosa sangre de Jesús hasta que aprendan a caminar y luego a correr.

Santiago 5:16 nos dice: "la oración eficaz del justo puede mucho." No solamente en la vida de las personas por quienes oramos, sino en la nuestra también. Porque la intercesión pone en sintonía nuestros corazones con la guía del Espíritu, nos da ojos para ver lo que él ve, y nos transmite su sentir para que podamos ser sus manos, de tal manera que podemos desatar mortajas en las formas y en los lugares menos pensados.

Guiados por el Espíritu

La escritora Beth Moore nos cuenta de una ocasión en que ella notó la presencia de un hombre de edad madura movilizándose en una silla de ruedas en un congestionado aeropuerto. Su aspecto era algo extraño y su cabello gris caía sobre sus hombros.

Para no ser imprudente, Beth escribe que se concentró en la Biblia que ella tenía en sus manos. Pero mientras más luchaba por concentrase en leer la Palabra, más atraída se sentía hacia aquel hombre.

"He andado suficiente tiempo con Dios y he aprendido a ver `la escritura en la pared´," nos cuenta Beth. "He aprendido que cuando comienzo a sentir como Dios siente, tan contrario a mis sentimientos naturales, algo dramático está a punto de ocurrir. Y puede ser algo embarazoso."

Aunque trató de resistirse a la insinuación, esta se hizo más fuerte.

"No quiero que le testifiques," le dijo Dios claramente. "Quiero que peines su cabello."

Al final, ella se dio por vencida y dejó de discutir con Dios. Caminó hacia el hombre y se acuclilló frente a él.

"Señor, ¿me permite el privilegio de peinar su cabello?" le preguntó.

Él miró desconcertado.

"¿Qué dice usted?"

Ella le repitió la pregunta en voz más alta y enseguida sintió que las miradas de todas las personas que había en el área de espera se posaban sobre ella y sobre el anciano.

"Si de veras quiere hacerlo…," respondió el hombre.

Con un cepillo que encontró en su bolsa Beth comenzó a peinar gentilmente el pelo del anciano. Estaba limpio aunque enredado y enmarañado. Pero siendo la madre de dos chicas estaba bien preparada para la tarea.

"Algo maravilloso me ocurrió cuando empecé a peinarlo," recuerda Beth. "Todos los demás en la sala de espera desaparecieron para mí. Sé que esto puede parecer extraño pero nunca en toda mi vida había sentido tal clase de amor por otra persona. Creo con todo mi corazón que durante esos escasos minutos sentí un poco del mismo amor de Dios. Que él rebasó mi corazón... como alguien que toma un espacio en arriendo y lo convierte en su hogar por un corto período."

Las emociones eran todavía muy fuertes cuando ella concluyó. Puso el cepillo otra vez en la bolsa del hombre, se acuclilló frente a su silla y le preguntó:

"Señor, ¿conoce usted a Jesús?"

"Sí," respondió. "Lo conozco desde que me casé con mi esposa. No se casó conmigo hasta que yo aceptara a Jesús como mi Salvador." Luego hizo una pausa. "El problema es que no la he visto en varios meses. Me operaron del corazón y ella ha estado demasiado enferma para venir a visitarme. Estaba aquí sentado pensando: Estoy hecho un asco para mi esposa."[13]

La mano de Dios extendida

Qué maravilloso privilegio es ser la mano misma de Dios en la vida de alguna persona.

Me pregunto cuántas oportunidades he perdido, junto a cuántas personas heridas he pasado de largo porque estaba demasiado ocupada para detenerme. Cuántas mortajas he dejado sin desatar, no sabiendo que una hermana o hermano resucitado está adentro luchando por salir. O cuántas metamorfosis de mariposas he interrumpido porque mi humana compasión supuso que yo conocía mejor que Dios las necesidades de otros.

Yo quiero participar en lo milagroso. Quiero ser una pequeña partícula del Reino de Dios venido a la tierra; la mano de Cristo extendida para alcanzar a la gente con amor. Pero eso significa que tengo que aminorar el paso y, como Beth Moore, tengo que escuchar. Debo sintonizar mi corazón con los impulsos del Espíritu Santo, de modo que cuando él me indique "Desátalo y déjalo ir," yo avance en vez de retroceder. Que cuando diga, "espera y ora," yo esté dispuesta a interceder y no a interferir. De tal manera que cualquier cosa que haga, la haga con su sabiduría y su amor. (Para obtener ayuda práctica o para desatar mortajas, vea el Apéndice E.)

"¿Quién es mi prójimo?" preguntó a Jesús el intérprete de la ley.

Como lo explica Warren Wiersbe, la respuesta tiene menos que ver con geografía y más con oportunidad.[14] Porque la mejor manera de amar al Señor con todo mi corazón, con toda mi alma, con todas mis fuerzas y con toda mi mente es amar a las personas que llegan a estar junto a mí.

Incluso cuando amarlas implique desatar sus mortajas.

Le dijo Jesús [a Marta]: "Yo soy la resurrección y la vida;
el que cree en mí, aunque esté muerto, vivirá.
Y todo aquel que vive y cree en mí,
no morirá eternamente. ¿Crees esto?

Le dijo: Sí, Señor; yo he creído que tú eres el Cristo,
el Hijo de Dios, que has venido al mundo.

Y habiendo dicho esto, clamó a gran voz:

¡Lázaro, ven fuera!

Y el que había muerto salió, atadas las manos y los pies con
vendas, y el rostro envuelto en un sudario.
Jesús les dijo:

Desatadle, y dejadle ir.

Entonces muchos de los judíos que habían venido para
acompañar a María, y vieron lo que hizo Jesús, creyeron en él.
Pero algunos de ellos fueron a los fariseos y les dijeron
lo que Jesús había hecho.

Entonces los principales sacerdotes y los fariseos
reunieron el concilio…

Así que, desde aquel día acordaron matarle.

Pero los principales sacerdotes acordaron dar muerte también a
Lázaro, porque a causa de él
muchos de los judíos se apartaban y creían en Jesús.

Juan 11:25-27, 43-47, 53; 12:10-11

9

La vida después de haber sido resucitado

Yo debí haberlo hecho. Meses atrasada en la programación para terminar este libro, debí haber puesto manos a la obra para recuperar el tiempo perdido. Pero la invitación para participar en un evento de una iglesia en California estimuló un interés en mi corazón. Y cuando me dijeron que podía quedarme unos cuantos días después para escribir, decidí ir.

Pero no tenía la menor idea de que habría tantos "Lázaros" en aquel lugar.

La iglesia anfitriona, que nació en la década del 70 como resultado de trabajo del llamado Movimiento de Jesús, estaba llena de historias de resurrección. A cualquier lado que iba encontraba otra persona que había estado espiritualmente muerta y ahora estaba viva otra vez. Mi anfitriona había sido una hippie que viajaba por las autopistas de los Estados Unidos cuando encontró a Jesucristo de una manera extraordinaria. Dios le dijo que regresara a su hogar y amara a sus padres. Y ella lo hizo. No solamente con palabras, sino también con acciones.

Tan radical fue la transformación que se operó en ella que sus dos padres aceptaron al Señor. "Yo dí a luz a mi hija," me dijo su madre con sus ojos iluminados, "¡y ella me dio a luz a mí en sentido espiritual!"

El líder de alabanza en el evento, que había sido cantante y bailarín, también encontró el maravilloso amor de Cristo y ahora lleva en adoración a miles de personas cada semana frente al trono de Dios. El esposo de otra líder, que en un tiempo estaba lleno de sectarismo contra los judíos, ahora trabaja incansablemente para el Señor, especialmente en la causa de preservar la nación de Israel.

Otra mujer que conocí fue llevada a Jesús por su hijito. Tras años de buscar amor en los lugares equivocados, Robin finalmente encontró el amor de Dios a través de un versículo memorizado por su pequeño en la clase de Escuela Dominical. "Echen toda su ansiedad sobre él, porque él cuida de ustedes," le recitó el pequeñín (1 Pedro 5:7).

"¿Quién es `él´?" preguntó ella con sarcasmo.

"Es Jesús, mamá," le dijo con solemnidad. "Jesús cuida de ti."

Esas cuatro cortas palabras rompieron la dureza en el interior de Robin. Aunque era demasiado orgullosa para llevar a su hijo a la iglesia ese domingo, ella siguió al bus que lo transportaba y entró furtivamente en la iglesia por una puerta lateral. Allí encontró el amor que había estado buscando durante toda su vida.

Transformación. Encontré transformación en todos los lugares a mi alrededor durante esa semana. El sonido de las alas de las mariposas y la metamorfosis de las almas en la presencia del Señor. Lázaros y Lázaras, unos y otras.

Ninguno perfecto. Ninguno completo.

Pero, ¿resucitados? ¡Sin duda alguna!

Absolutamente innegable.

Antes y después

Cuando Lázaro salió de la tumba respondiendo al llamado de Jesús, quienes estaban allí no podían negar que había ocurrido un milagro. Después de todo, habían participado de la *shivá*, parte de los siete días de duelo tradicional de los judíos, con María y Marta. Ellos habían abrazado a las dos hermanas mientras lloraban, y les calentaron los alimentos procurando hacerlas comer. Incluso, habían bromeado en voz baja y habían hablado de cuánto extrañarían a su amigo.

Pero ahora Lázaro aparece frente a ellos, vivo otra vez, con un brillo visible en la mirada cuando el sudario cae de su rostro. Oyen sus primeras palabras y presencian sus primeros pasos después de haber sido liberado de a mortaja. Observan cuando el hombre que ellos ayudaron a depositar en l lugar de su último reposo corre junto con sus hermanas hacia Jesús para undirse en un inmenso abrazo.

Algunos de la concurrencia inmediatamente creyeron en Jesús y pusieron u fe en él como consecuencia de lo que había ocurrido. Luego, otros harían o mismo. Ver a un hombre que se levanta de entre los muertos es algo difícil de ignorar. Era algo inexplicable pero innegable. Todo lo que tenían que hacer era mirar a Lázaro para saber que había ocurrido una transformación.

El hombre estuvo muerto. Frío. Tieso. Inerte.

Ahora estaba vivo. Lleno de vitalidad. Un milagro andante y parlante.

Con razón muchos de los que presenciaron el acontecimiento depositaron u confianza en el Obrador del milagro.

UNA HISTORIA PARA CONTAR

Yo solía anhelar tener un testimonio poderoso como los de Villa Lázaro. Cuando uno es salvo a los cuatro años de edad, no hay un "antes de", que pueda señalar para validar el "después de". En otras palabras no existe un pasado para contrastar lo que ocurrió después. No hay una transformación que impacte y asombre a la gente.

A través de los años, cuando los predicadores decían: "Piense en el día en que fue salvo y lo que usted era antes de conocer a Jesús," yo sinceramente deseaba poder hacerlo. Hubiera sido tan bonito tener un momento cuando ocurrió un nuevo nacimiento y poder señalarlo y decir: "Fue entonces cuando esús vino a mi vida. Esa era yo en el pasado. Y esta es la nueva Joanna."

Me parecía que lo que Dios realmente usaba eran los testimonios dramáticos. Cosa que a mí me molestaba bastante cuando era una cristiana oven. ¿Qué tenía yo para ofrecer?

Sí, yo amaba a Jesús. Pero, ¿había sido transformada?

La mayor parte del tiempo no podía ver una diferencia notable entre mi vida y la vida de quienes me rodeaban, por lo menos desde mi hipercrítico punto de vista.

Sabía que algo había ocurrido cuando Jesús entró a mi corazón. Después de todo, yo no deseaba pecar, y me dolía interiormente cuando lo hacía. En mi corazón sentía amor por la gente y oraba con diligencia para que mi vida tuviera un impacto para el Reino de Dios. Pero sabía que su Reino debía hacer un impacto en mí también.

Así comenzó mi oración de toda una vida: "Señor, cámbiame."

Y eso exactamente es lo que él ha hecho. Aunque todavía no tengo una dramática historia de conversión, cada vez que le he permitido a Dios poner sus manos en mí, él me ha dado un testimonio: una historia real de un antes y un después para contar. Porque cada vez que le he dado a Dios acceso a otro lugar de mi corazón, abdicando el control y permitiendo a Jesús que reine y gobierne en él, he sido transformada en algunas importantes maneras. Aunque no soy todavía lo que debo ser, ya no soy lo que era, ¡gracias a Dios!

Esa es la clase de testimonio fresco, recién salido del horno, que Dios quiere darnos a cada uno de nosotros. Un testimonio de resurrección que sea demasiado bueno como para no dejar de contarlo.

LA RESURRECCIÓN Y LA VIDA

Cuando Marta encontró a Jesús en el camino después que su hermano hubo muerto, ocurrió entre ellos dos un poderoso intercambio de verdades.

Después de derramar su dolor y su desconcierto por la muerte de Lázaro, Marta le dio permiso a Jesús para hacer lo que le pareciera mejor, diciéndole: "Mas también sé ahora que todo lo que pidas a Dios, Dios te lo dará" (Juan 11:22).

En respuesta, Jesús hizo una de sus siete grandes declaraciones de "Yo soy," registradas en el evangelio de Juan. "Yo soy la resurrección y la vida, le dijo a Marta. El que cree en mí, aunque esté muerto, vivirá. Y todo aquel que vive y cree en mí, no morirá eternamente. ¿Crees esto?" (versículos 25-26).

"Sí, Señor; yo he creído que tú eres el Cristo, el Hijo de Dios, que has venido al mundo," respondió ella (versículo 27).

¡Y en efecto, creyó! A diferencia de algunos de sus amigos judíos, ella tenía fe en una resurrección al final de los tiempos. Sabía que su hermano viviría otra vez y ella también cuando muriera. Y estaba completamente convencida de que su amigo Jesús era el Mesías tanto tiempo esperado por Israel.

En ese momento lleno de fe, Marta quizá creyó que podía hablarle vida y resurrección al cuerpo de su hermano ese mismo día.

Pero luego, cuando estuvo frente a la tumba de Lázaro, su fe vaciló. De cara a su aflictiva realidad halló difícil creer que alguien, incluso Jesús pudiera lograr vida de muerte y putrefacción tan obvias.

Y para nosotros puede ser igualmente difícil imaginar que tal transformación pueda ocurrir hoy en nuestras vidas.

Sí, Señor, sabemos que somos salvos y que iremos al cielo. Sabemos que un día seremos verdaderamente vivificados cuando te veamos cara a cara. Pero, ¿pensar que podemos experimentar resurrección aquí, en medio de nuestra desordenada y confusa existencia? Concluimos que *no parece posible*, y nos acomodamos en la cámara intermedia aguantando hasta que llegue Jesús.

No obstante, afuera, frente a nuestras tumbas, la Resurrección y la Vida nos llama por nuestros nombres:

"Lázaro..."

"Joanna..."

Ponga su nombre en los labios de Jesús y escúchelo decir: "¡Ven fuera!"

Pero no deje que la resurrección sea el final de su historia. Permita que Jesús haga todo lo que desea hacer en usted. Él tiene en mente más de lo que usted imagina.

Jesucristo no vino a la tierra solamente para proveernos un ejemplo a seguir (aunque sí nos ofreció un importante y fugaz atisbo de cómo debemos vivir la vida). Él no vino sólo a mostrarnos el corazón del Padre y a revelar su amor (aunque hizo exactamente eso y más). Ni siquiera vino con el único propósito de librarnos de la tiranía de la muerte (aunque, gracias a Dios, ¡lo hizo!).

No; Jesús vino, murió y se levantó otra vez. Luego regresó a los cielos y envió su Santo Espíritu por una razón, y sólo por eso: para poder vivir su vida en nosotros. La plenitud de él en la plenitud suya y mía.

Ese es el testimonio que cada uno de nosotros puede tener, no importa lo que parezcan las jornadas de nuestra fe. El Cristo que mora en la vida de sus discípulos, viviendo y obrando en nuestro interior. Una transformación tal de lo que éramos, que las personas a nuestro alrededor no puedan dejar de ver el milagro y depositar su fe en Dios.

Es el misterio maravilloso del cual el apóstol Pablo escribió en Colosenses 1:27, el secreto de que "Dios nos ha escogido para hacer conocer su nombre a los gentiles," y a usted y a mí también.

¿Cuál misterio? ¿Qué secreto?

Pablo continúa diciéndonos: "Cristo en nosotros, la esperanza de gloria."

EL VICTORIOSO SECRETO

Una y otra vez en el Nuevo Testamento vemos repetido este concepto de que el Señor vive su vida dentro de nosotros y nos transforma de dentro hacia afuera. El mensaje es tan manifiesto que se hace difícil creer que muchos de nosotros lo pasamos por alto. Sin embargo, con demasiada frecuencia lo hacemos.

Hudson Taylor, el famoso misionero en China, no lo entendió por un largo tiempo. Tras esforzarse por vivir una vida santa por sus propias fuerzas durante más de quince años de ministerio, perdió la esperanza de ser alguna vez victorioso. Pero un día leyó una carta de su amigo John McCarthy, quien le escribió acerca de su despertar a esta maravillosa verdad:

> Permitirle a mi amoroso Salvador obrar en mí… lo que yo viviría por su gracia. Morar en él, sin esfuerzo, sin lucha; mirarlo y confiar en él como la fuente de poder actual; confiar en que él doblega y somete toda corrupción interior y descansar en el amor del Todopoderoso Salvador… Literalmente Cristo me parece ahora el poder, el único poder para servir; el único fundamento para un gozo inmutable. Que él nos lleve a darnos cuenta de su insondable plenitud.[1]

Una oración se destacaba entre todas las de la carta: "Pero, ¿cómo fortalecer la fe?, se preguntaba su amigo. No esforzándose por conseguirla sino reposando en el Cristo Fiel"[2]

Cuando Hudson Taylor leyó esas palabras, algo en lo profundo de su interior respondió. "¡Pude verlo todo claramente!" escribió posteriormente a su hermana, describiendo su nueva conciencia del hecho de que Cristo vivía en su interior. Era la fidelidad del Salvador lo que importaba, no la suya.

Conciente ya de ello, las Escrituras cobraron nueva vida para él, especialmente Juan 15 que describe a Jesús como la vid y a los creyentes como los pámpanos que obtienen la vida de la vid. Hudson escribió: "La vid que ahora veo no es la raíz solamente sino todo: raíz, tallo, ramas, cogollos, hojas, flores, fruto. Y Jesús no es solamente eso, él es el terreno, el sol, el aire y la lluvia, y diez mil veces más lo que hayamos soñado, deseado o necesitado."[3]

La realidad de vivir y descansar en la obra completa de Jesús, el "intercambio de vida" como Hudson lo llamó[4] cambió su vida y su ministerio para siempre. Un misionero amigo escribió acerca de esta transformación: "Ahora era un hombre alegre, un cristiano brillante y feliz. Antes era un alma cargada, llena de luchas, sin reposo. Ahora descansaba en Jesús y le permitía a él hacer la obra, ¡lo cual hace toda la diferencia!"[5]

Pero Hudson Taylor no es el único cristiano que ha descubierto el hermoso misterio y el magnificente poder de "Cristo en vosotros, la esperanza de gloria." Otros también han escrito acerca de él.

En su libro *The Unselfishness of God* [La generosidad de Dios], Hanna Whitall Smith dice:

> Lo que me vino fue un descubrimiento, no un logro en ningún sentido. No me convertí en una mujer mejor de la que era antes, pero descubrí que Jesús era un Salvador mejor de lo que yo había pensado que era. No tenía ni un ápice de mayor capacidad que antes para vencer las tentaciones, sino que descubrí que él tenía la capacidad y la disposición para vencerlas por mí. No era más sabia ni más justa que antes por mi propia cuenta, pero me di cuenta que realmente él podía ser para mí, como lo declaró el apóstol, sabiduría, justicia, santificación y redención.[6]

Jesús quiere ser lo mismo para nosotros y vivir su vida en nuestro interior de tal modo que podamos proclamar con Hudson Taylor, Hanna Whitall Smith y el apóstol Pablo: "Con Cristo estoy juntamente crucificado, y ya no vivo yo, mas vive Cristo en mí; y lo que ahora vivo en la carne, lo vivo en la fe del Hijo de Dios, el cual me amó y se entregó a sí mismo por mí" (Gálatas 2:20, énfasis agregado).

Note esa frase: "Con Cristo estoy juntamente crucificado, y ya no vivo yo," porque esa es la clave. Si queremos vivir una vida resucitada y experimentar la transformación que tantos héroes de la fe describen, tenemos que morir. Morir a nosotros mismos hasta que estemos muertos para el mundo.

Porque cualquier otra cosa resulta en una resurrección a medias.

NO SE CONFORME A VIVIR COMO *ZOMBI*

En su novela poco conocida de 1906, Leonid Andreyev pinta un cuadro preocupante de Lázaro después de resucitado. De los pocos cuadros de Lázaro que hay en la literatura, este no es ciertamente halagador. Ni es remotamente parecido a la vida que Cristo vino a dar. He aquí una sinopsis de la historia:

> Suntuosamente vestido, Lázaro es rodeado por sus hermanas María y Marta, por otros parientes y por amigos que celebran su resurrección. Los tres días que pasó en la tumba han dejado marcas en su cuerpo; las yemas de sus dedos y su cara tienen un color azuloso y hay ampollas rotas y supurantes en su piel. El deterioro de su cuerpo ha sido interrumpido, pero la restauración, el retorno de su salud es incompleto. Su comportamiento también ha cambiado. Ya no es alegre, despreocupado y sonriente como era antes de su muerte.[7]

A diferencia de la vida que Cristo ofrece, el Lázaro de Andreyev camina por la vida atormentado, y atormentando a aquellos con quienes entra en contacto. Mirar sus ojos con detenimiento causa la locura de quien los observa. En vez de llevar vida a donde va, un cierto halo de muerte siguió su despertar. Más que un hombre plenamente vital, es un cuerpo maligno en descomposición.

Es triste pero me temo que muchos cristianos aceptan como su destino esta existencia de *zombi*. Vivimos una vida un poco resucitada. Sabemos que esta debe ser más apacible y más alegre. Sabemos que debemos ser amorosos, amables, perdonadores. Pero muy a menudo somos más bien ansiosos, egoístas y crueles. El hedor de nuestra baja naturaleza en descomposición impregna nuestras vidas continuamente, no importa cuántos desinfectantes o perfumadores de ambiente probamos.

Si usted se encuentra en esta situación, permítame hacerle una pregunta: ¿Ha considerado la posibilidad de morir? ¿De subir a la cruz y quedarse allí hasta que la vida de Cristo pueda hacer su obra en usted?

Aunque la Biblia es clara en cuanto a que lo que Jesús hizo en el Calvario fue suficiente para comprar su salvación y la mía, todavía es necesaria una obra santificadora, una transacción santa que requiere un cierto tipo de muerte.

"Si alguno quiere venir en pos de mí," dice Jesús en Marcos 8:34, "niéguese a sí mismo, y tome su cruz, y sígame." Pero permítame agregar que sólo tomar la cruz no es suficiente. Tenemos que permitirle hacer su obra en nosotros. Caminar continuamente la Vía Dolorosa, pero sin alcanzar nunca el Gólgota, no es lo que Jesús quiso decir al pedir que lo sigamos.

Porque sin crucifixión no puede haber resurrección.

Tenemos que estar dispuestos a morir si realmente queremos vivir.

Hasta que "hagamos morir cualquier cosa que pertenezca a nuestra naturaleza terrenal", tal como nos manda Colosenses 3:5, no podremos emerger de nuestras tumbas y realmente "practicar la resurrección" tal como la describe Wendell Berry.[8]

Hacer morir nuestra naturaleza terrenal es algo que no podemos hacer sin la intervención de Dios. No se espera que sea una renovación que intentamos por nosotros mismos, o una pantomima que actuamos hasta que se convierta en realidad. Créame, yo he intentado hacerlo de esa manera, y sencillamente no da resultado.

Aunque el Espíritu Santo quiere ayudarnos, nosotros debemos iniciar la acción. Porque en un sentido bien real, sólo nosotros podemos hacer la elección de morir.

Practicar la resurrección

Por supuesto surge la pregunta del cómo. En la práctica, ¿cómo es eso de "morir para luego vivir"?

Para mí implica rechazar la influencia de cualquier cosa que esté en directa oposición al gobierno y al reinado de Cristo en mi corazón, lo cual incluye:

- Mi deseo de controlar y dirigir mi propia vida (y la vida de otras personas).
- Mi derecho a ser tratado con justicia, siempre (y en todas las formas).
- Mi necesidad de que otros piensen bien de mí (y que lo hagan con frecuencia).
- Mi insaciable apetito por escapar (ya sea mediante la ingestión de comida, la televisión, los libros u otros medios).

¿Nota que todos estos son deseos centrados en mí? Lo cual es precisamente el problema. A fin de facilitar la invasión de la vida transformadora de Cristo a los reinos de mi corazón, debo destronar mi baja naturaleza muriendo al yo.

Sepultados en el bautismo

Para mí no existe un cuadro que exprese mejor la idea de morir para vivir, que el bautismo. Tal vez por eso fue que lo primero que Jesús hizo antes de empezar su ministerio fue pedirle a Juan que lo bautizara (Mateo 3:13-17).

El acto del bautismo se practica de manera distinta en las diferentes iglesias: algunas lo hacen por inmersión (sumergiendo a la persona en el agua), otras por aspersión (esparciendo el agua sobre ella), y otras más derraman el agua sobre el bautizado. Sin embargo, me encanta el simbolismo implícito de la completa inmersión que practicamos en mi denominación. Para nosotros, descender en las aguas del bautismo simboliza que hemos elegido morir a nosotros mismos, a nuestros deseos y querencias. Y levantarnos de las aguas es un símbolo de que hemos sido resucitados con Cristo. Nuestra vida es ahora su vida. Sus deseos son ahora los nuestros.

Tal como lo dice Romanos 6:4: "Porque somos sepultados juntamente con él para muerte por el bautismo, a fin de que como Cristo resucitó de los muertos por la gloria del Padre, así también nosotros andemos en vida nueva."

Si usted no ha sido bautizado, considere la posibilidad de hacerlo y hable con su pastor o sacerdote acerca de seguir el ejemplo de Jesús. El bautismo es una parte importante de la "confesión pública de su lealtad a Jesús aquí en la tierra" (Mateo 10:32), al anunciarle al mundo que usted ha muerto y que Cristo vive ahora en usted.

Por tanto, id, y haced discípulos a todas las naciones,
bautizándolos en el nombre del Padre,
y del Hijo, y del Espíritu Santo.
Mateo 28:19

O, dicho de otra manera, tengo que crucificar mi "Mujer de Carne", esa nena, ese pichón de "luchadora de sumo" de 683 libras de peso de la cual hablo mucho en mi libro *Un espíritu como el de María.*[9] Ella es mi "naturaleza pecaminosa", a la que se refiere la Nueva Versión Internacional (ver Romanos 7 y 8), la cual piensa que es quien tiene el control.

Y es triste que con demasiada frecuencia ella es quien, en efecto, ejerce el control. Aunque Jesús se sienta en el trono de mi espíritu, la Mujer Carnal todavía ejerce mucha influencia en otras áreas. Cuando continuamente me doy por vencida y le permito hacer su voluntad, su poder aumenta limitando la capacidad de Dios de obrar en mí.

Porque solamente yo puedo decidir a quién servir.

"¿No sabéis que si os sometéis a alguien como esclavos para obedecerle, sois esclavos de aquel a quien obedecéis, sea del pecado para muerte, o sea de la obediencia para justicia?" declara el apóstol Pablo en Romanos 6:16.

Gracias a Dios, soy solamente yo, no mi pecado, quien decide si voy a ser controlada o no, por él. Y sólo yo decido si la Mujer Carnal continúa su tiránico reinado. Por eso es tan importante que constantemente le diga no a mi egocentrismo, y a mi tendencia hacia la autoprotección y la autocompasión.

Y a mi inclinación natural a ser absorbida por mi ego, por mi autopromoción y actualización, y a confiar en mí misma.

La lista puede ser mucho más larga. Tan solo anteponga el ego a cualquier cosa, y tenemos un problema de enfermedad de pecado que sólo puede ser curado por una crucifixión.

Si aceptamos el proceso de crucifixión de nuestra naturaleza carnal, encontraremos la alegría que encontró Lázaro. Porque hablando espiritualmente, nada nos libera más que morir para vivir.

La gran revelación

Aunque existen muchas razones para crucificar nuestra naturaleza pecaminosa, pienso que estas dos quizá son las mejores: una persona muerta no puede ser tentada ni atemorizada.

Si quiere, inténtelo. Tome un hombre muerto, apóyelo en una esquina y haga desfilar ante él bellas mujeres y no lograrán de él ni siquiera una mirada. Ubique a una muerta en un trono y cúbrala de joyas y bellos vestidos, no pedirá un espejo. Amenace a cualquiera de los dos con un cuchillo o con una demanda y no los hará parpadear. De todos los millones de tentaciones y ansiedades que hoy nos rodean, ninguna puede afectar a una mujer o a un hombre muerto.

Por eso fue que el apóstol Pablo, aunque enfrentó persecuciones y sufrió encarcelamientos, palizas, e incluso amenazas de muerte, pudo decir: "Pero de ninguna cosa hago caso" (Hechos 20:24).

¿Cómo era eso posible?

Yo creo que Pablo pudo permanecer firme e impasible porque ya era ur hombre muerto. Ya no se pertenecía a sí mismo. Ya no dependía de logro pasados o de la presente aprobación de los hombres. El apóstol estab motivado por una esperanza futura centrada en Cristo, y por "ser hallado er él" (Filipenses 3:9). Todo lo demás era solamente un saco grande de "basura" (versículo 8) para este hombre que había renunciado a tanto para darle Jesucristo su todo.

Por eso pudo decir con esa confianza: "de ninguna cosa hago caso," y luego añade, "ni estimo preciosa mi vida para mí mismo" (Hechos 20:24).

¿Qué tan preciosa es mi vida para mí? me pregunto. Me temo que demasiad preciosa. Tengo la tendencia a aferrarme tan fuertemente a mi pequeña vid y sus tesoros que cuando el Señor trata de quitarme uno de mis precioso juguetes, lucho por retenerlos. Y con excesiva frecuencia, cuando él me pid "ven y muere", me doy vuelta y me evado.

Jesús nunca se opuso a su muerte. La aceptó y subió a la cru voluntariamente. "Nadie me la quita [la vida], sino que yo de mí mismo l pongo" (Juan 10:18 NTL). Oh, ¡que yo haga lo mismo! Porque al otro lad del sometimiento se encuentra la libertad que Pablo descubrió cuando lleg al fin de sí mismo.

Este mismo tipo de gozosa libertad la debe haber experimentado Lázar después de enfrentar el peor temor de la humanidad, la muerte, y de habe salido vivo al otro lado.

¡Eso es vida!

Sin duda alguna la gente debe haber encontrado a Lázaro diferente tras su resurrección. No la diferencia que el escritor Andreyev sugiere –un muert convertido en un *zombi*, sino un hombre plenamente vital y totalmente libr de temores.

Cuando pienso cómo debe haber sido este hombre, lo imagino lleno d paz y alegría, con una serena ausencia de temor y una santa despreocupación de las cosas que antes lo preocupaban, y también de las que deseaba con ansia. "De ninguna cosa hago caso," casi puedo oírlo decir.

Tal vez era por eso que la gente acudía en masa para ver a este hombre qu estuvo muerto, pero ahora vivía (Juan 12:9).

Infortunadamente, lo que despertó fe en unos provocó odio en otros; un odio nacido en lo profundo del infierno. No hay una amenaza mayor para el diablo que un hombre o una mujer de Dios resucitados.

"Pero los principales sacerdotes acordaron dar muerte también a Lázaro," nos dice Juan, "porque a causa de él muchos de los judíos se apartaban y creían en Jesús" (Juan 12:10-11).

¿No sería maravilloso tener una existencia como esa? Una vida que glorifique a Dios de tal forma que el único modo de silenciarla sea acabar

Inexplicable e innegable

En *The Indwelling Life of Christ* [La vida de Cristo en nosotros], uno de mis libros favoritos de todas las épocas, el Mayor Ian Thomas explora el misterio y el poder de la vida resucitada:

> La verdadera vida cristiana sólo puede explicarse en términos de Jesucristo, y si su vida como cristiano puede ser explicada en términos de usted mismo, de su personalidad, su fuerza de voluntad, sus dones, sus talentos, su dinero, su coraje, sus estudios, su dedicación, su sacrificio, o cualquier cosa suya, entonces aunque usted sea cristiano, aún no está viviendo la vida cristiana.
>
> Si su vida cristiana puede ser explicada en términos de usted mismo, ¿qué tiene para ofrecerle a su vecino de al lado? La vida que él ya vive, en lo que a él respecta, puede explicarse en sus propios términos; la única diferencia entre usted y él es que usted es "religioso", y él no. Quizá el cristianismo es su pasatiempo, pero no el de él, y no hay nada en la manera que usted lo practica que lo impacte a él y lo haga destacable. No hay nada en usted que lo deje a él pensando, y nada encomiable de lo cual él no se sienta igualmente capaz sin la incomodidad de convertirse en cristiano.
>
> Solamente cuando su calidad de vida desconcierta a sus vecinos está usted cerca de lograr su atención. Para ellos tiene que llegar a ser patente y obvio que la clase de vida que usted vive no sólo es encomiable, sino que trasciende cualquier explicación humana.[10]

> *Entonces viendo el denuedo de Pedro y de Juan...*
> *se maravillaban; y les reconocían*
> *que habían estado con Jesús.*
>
> Hechos 4:13

con ella. Que proclame la realidad de Jesús de una manera que no se áspera ni condenadora, sino tan encantadoramente vital y enamorada de Salvador que la gente no pueda menos que desearla. Una vida tan llena d integridad y pureza que los críticos no tengan nada malo que decir de ella Que no sea silenciada por las amenazas de muerte o por la desaprobación d la gente, y que sencillamente camine hacia adelante con valor y alegría. Un proyección de la vida cambiada que el mundo pueda ver, sin importar dónd me encuentre o hacia dónde voy.

Morir cada día

"La disposición a morir es el precio que usted debe pagar si quiere se levantado de entre los muertos y trabajar y andar en el poder de la tercer mañana," afirma el Mayor Ian Thomas. "Una vez que tenemos esa disposició a morir, ya no quedan más asuntos que enfrentar; solamente instruccione para obedecer."[11]

Andar en el poder de la tercera mañana. Practicar la resurrección. Má de Jesús y menos de mí. Todo esto nos viene por morir al yo, de eso esto convencida. Y esa era también la convicción de George Müller, el hombre de cual le hablé antes, cuya obra estableciendo orfanatos en Inglaterra lo hiz famoso en la segunda mitad del siglo diecinueve:

> A alguien que le preguntó cuál era el secreto de su servicio, le respondió: "Hubo un día en que yo morí; fue una muerte definitiva." Y mientras hablaba se inclinó cada vez más bajo hasta casi tocar el suelo. "Morí a George Müller, a mis opiniones, preferencias, gustos y voluntad; morí al mundo: a su aprobación o censura, incluso a la de mis hermanos y amigos y desde entonces he procurado solamente 'presentarme ante Dios aprobado.'"[12]

No sé qué efecto le causará a usted esa historia, pero cada vez que yo l eo me siento impulsada a realizar otro funeral en mi propia vida... y luego)tro... Aunque desearía decirle que mi resurrección requirió solamente una nuerte y un funeral, eso no sería verdad. Lo cierto es que mi historia incluye nuchos obituarios.

Día a día, a veces minuto a minuto, debo tomar la dura decisión de negarme a mí misma para obedecer a Dios. Aunque Cristo murió una vez · para siempre, la acción de negarse y morir a sí mismos es un ejercicio que quienes lo siguen deben realizar diariamente (1 Corintios 15:31).

Sin embargo, puedo asegurarle lo siguiente: Cada día en que elijo morir, lejando de lado mis anhelos y deseos para que los de Cristo se realicen en ní, muere en mi ser un poco más de mi naturaleza pecaminosa. Y ocurre un)oco más de resurrección.

No obstante, hay otro aspecto del morir que me gustaría que consideremos. Jn cierto tipo de muerte que no elegimos necesariamente. Es la purgación de :ualquier exceso en nuestra vida. Algo a veces doloroso y difícil de soportar · comprender, pero necesario porque hace espacio para que la vida de Cristo :rezca en nosotros.

Podados por la mano del Maestro

Mi madre es una experta jardinera. Me gustaría que usted pudiera tomarse ın sorbo de te helado con nosotras mientras echamos una mirada a su)atio. Cada rincón está cubierto de un colorido tapiz que se extiende sobre u bien cuidado jardín. Mientras saboreamos unas frambuesas cultivadas :n su huerta, disfrutamos los aromas embriagantes y la belleza y delicia del ruto de su labor.

Nada de esta belleza ha ocurrido por accidente. Ha sido planeada y atendida cuidadosamente con mucho esfuerzo y trabajo. Mientras :aminamos por el jardín mi madre señala por nombre cada una de sus)lantas.

"Este rosal no floreció mucho el año pasado, así que tengo que cortarlo" lice, acunando un bello botón en su mano. "Debo mover esta peonía a un ugar en donde reciba más sol, y tengo que arrancar un montón de lirios)ara darle más espacio al maíz."

Sus ojos brillan con mirada cálida mientras habla de sus tareas, pero o que ella describe es una serie de actos al parecer brutales. Ramas frondosas cortadas. Sanos arbustos arrancados de raíz. Plantas florecientes desarraigadas. Cada uno de estos actos implica un cierto tipo de muerte. Pero todo es realizado con amor, en beneficio de la exuberancia del verano.

Mientras camino con mi madre a través de su jardín recuerdo las veces que he cuestionado a Aquel que cuida del jardín de mi corazón. Especialmente durante esos momentos cuando su trabajo lo siento más como acciones de muerte que de vida.

"Jamás imaginé que el suicidio sería tan lento y doloroso," le dije a mi esposo una noche, luego de caer rendida en la cama, tras un período muy difícil de batalla contra mi vieja naturaleza. No sólo era el "suicidio" con el que estaba luchando. No era sólo la decisión de morir a mi yo. Parecía que Dios estaba trabajando sobre mí también.

Fue el período de confusión del que escribí en *Cómo tener un espíritu como el de María* en el que Dios permitió un doloroso malentendido con mis amigos para arrancarme todo aquello que pensaba que necesitaba para vivir. Su amistad, su amor, su amable comprensión y apoyo… todo había desaparecido. Y nada de lo que intenté mejoró la situación; sólo la empeoró. Haber perdido su aprobación me hirió tanto que pensé que iba a morir.

Y ese era el objetivo, por supuesto. Pero no era la clase de muerte que había pensado. Esperaba cerrar los ojos como la Bella Durmiente, y despertar renovada y resucitada por el beso de mi apuesto Príncipe Salvador.

En cambio, el Señor se presentó con guantes de trabajo. Casi podía verlo: jeans, sombrero de lona, botella de agua y el almuerzo en la mochila. ¿Era una carpa lo que estaba viendo? ¿Y qué llevaba en las manos?

Unas tijeras de podar.

Porque la "muerte" que estaba experimentando era en realidad una temporada de poda… mucha, mucha poda. Sentía como si el Labrador estuviera cortando partes de mí, desarraigándome y quitando todo lo que diera testimonio de vida. Las ramas frondosas que una vez florecieron coloridas y se doblaron bajo el peso del fruto, habían sido despojadas, dejándome un tanto quemada y desnuda, aferrada al tronco donde había estado adherida.

Entonces vino el largo invierno. Y este también lo sentía como la muerte.

Temporada de muerte

Quizás usted se encuentre en temporada invernal en este momento. Tal vez ienta que todo aquello que le importaba ha desaparecido y no ha logrado ncontrar nada que ocupe su lugar. Tal vez Dios lo ha llamado a hacer a n lado toda una vida de esfuerzo para que pueda experimentar lo que es ermanecer en él. Lo cierto es que la quietud lo está sacando de juicio. Quizás Dios lo ha restringido a un lugar donde no tiene más opción que uedarse en silencio. Y escuchar. Y esperar.

El invierno siempre parece durar más de lo esperado.

He aprendido que pasar por momentos así no es apto para cardíacos. No s fácil soportar la pérdida de lo que alguna vez creímos vital. Temblar en a oscuridad mientras nos sentimos despojados y confundidos. Preguntarse uándo acabará (si es que acaba) esta temporada de muerte y se convertirá en erdadera resurrección.

Entiendo cómo se siente usted. Y Jesús también lo entiende, más de lo ue cualquiera de nosotros puede imaginar. Aquel que fue colgado, olvidado abandonado, cortado en la flor de la vida y luego enterrado en lo profundo le una tumba… él conoce nuestro sufrimiento de forma tan íntima que sólo l puede recordarnos lo que está en juego.

"De cierto, de cierto les digo," dijo Jesús a sus discípulos luego de realizar l milagro en Betania y comenzar el duro camino hacia Jerusalén y hacia su nuerte. "Si el grano de trigo no cae en la tierra y muere, queda solo; pero si nuere, lleva mucho fruto. El que ama su vida, la perderá; y el que aborrece u vida en este mundo, para vida eterna la guardará" (Juan 12:24-25).

Por más extraño que parezca, es durante las oscuras noches del alma, esos nomentos como la muerte, como la medianoche, donde no se ven cambios, londe nada parece estar ocurriendo, que Dios hace su mejor trabajo, reparando nuestra vida, tan árida y desolada en ese momento, para un lerramamiento de vida aún mayor.

Porque el invierno siempre precede a la primavera. Y en la ley de la cosecha, a muerte siempre precede a la vida. Pero si confiamos en el Labrador, la osecha de frutos nos espera; "mucho fruto", como dice en Juan 15:5. Fruto ue nace por la vida de Cristo que se libera en nosotros a través de nuestra nuerte.

Fruto abundante y jugoso que durará para siempre (versículo 16).

Es asombroso pensar que tanta vida puede surgir de tanta muerte. Sin mbargo, ese es el secreto de vivir resucitado, y es la clave para el cambio de ida que necesitamos. Jesús vivo en usted y en mí. Su poder dándonos todo lo que necesitamos para hacer todo lo que él nos pide. Su amor, su gozo, su paz y su justicia manifestados en nosotros. Y no tenemos que hacer nada de todo eso por nuestra propia cuenta.

Nuestra única responsabilidad es morir. Jesús se encargará del resto Porque él no sólo es la resurrección. También es la vida.

La promesa de una nueva vida

Luego de la conferencia de mujeres en la iglesia de tantos "Lázaros", visité un viñedo a unos pocos kilómetros de distancia. Como una chica acostumbrada al clima frío de Montana, estaba ansiosa por ver más de cerca cómo se cultivan las uvas. Era principios de marzo, así que el primer lugar donde nos detuvimos aún no presentaba signos de vida, sólo troncos viejos que sobresalían en la tierra con ramas leñosas sostenidas por gruesos cables. En ese momento se veían un tanto chamuscados y sin vida, tal como yo me sent de vez en cuando, durante todo el año anterior.

Sin embargo, cuando entramos más en el valle, encontramos otro viñedo Este ya mostraba signos de vida. No muchos. Sólo unos cuantos matice verdes en medio de tanto marrón.

"Entonces, ¿cómo es todo esto?" le pregunté a mi anfitriona. "¿Son como los manzanos? ¿Aparecen flores de uvas que se polinizan para que nazca e fruto?"

"En realidad, no lo sé," contestó mi amiga, mientras estacionaba el auto junto a una hilera de vides.

Me bajé al instante, ansiosa por ver las pequeñas matas de hojas que surgían aquí y allá a lo largo de la viña. Comencé a tomar fotos con m cámara. Pero entonces noté algo sorprendente.

Algo profundo.

Allí, en un espiral de hojas que se abrían lentamente, había un racimo de uvas en miniatura perfectamente formado. Cada una de sus pequeñas parte definidas con claridad. Un exquisito embrión de promesa. Un cuadro de algo que todavía no es, de una realidad que un día será.

No puedo siquiera explicarle lo que sentí cuando más tarde el Espíritu Santo me susurró al corazón:*¿Ves, Joanna? Todo está allí: todo el potencial toda la cosecha que un día llegará. La vida de Cristo está en tu interior desde tu salvación, y sólo espera revelarse por completo.*

Todo tu esfuerzo no es tan necesario como tu permanencia en mí, parecía decir mientras comencé a llorar. *Si confías en las estaciones… si estás dispuesta a morir para que Jesús pueda vivir… sucederá. Y el Labrador recibirá la gloria.*

Esta es una palabra que quizá Dios le está hablando a usted también. Deje de intentar dar frutos por cuenta propia, amado. Permita que la Resurrección y la Vida le infundan color y belleza a su ser chamuscado y estéril. Escoja morir y acepte la íntima unión de su vida y la de Cristo. Porque hay una cosecha dentro de usted preparada de antemano por Dios. Un propósito para su vida que espera ser revelado (Efesios 2:10).

¡Un Lázaro en proceso! Una vida planeada para vivirse en plenitud, de la que brotan frutos de justicia. La clase de vida que no tiene otra explicación que esta:

Esta persona murió, y ahora vive Cristo en ella.

Soli Deo Gloria.

Seis días antes de la pascua, vino Jesús a Betania,
donde estaba Lázaro, el que había estado muerto,
y a quien había resucitado de los muertos.

Y le hicieron allí una cena; Marta servía,
y Lázaro era uno de los que estaban sentados
a la mesa con él.

Entonces María tomó una libra de perfume
de nardo puro, de mucho precio, y ungió los pies de Jesús,
y los enjugó con sus cabellos;
y la casa se llenó del olor del perfume.

Juan 12:1-3

10

El Lázaro risueño

Durante la Guerra Civil y tiempo después, el esposo de Sara Winchester adquirió una fortuna mediante la fabricación y venta de los famosos rifles repetidores Winchester. Tras la muerte de éste en 1881, Sara, agobiada por la pena de su muerte y de una pequeña hija que había fallecido algunos años antes, buscó a un médium espiritista para hacer contacto con su esposo. El médium le dijo que su familia estaba siendo perseguida por los espíritus de quienes habían sufrido la muerte por causa de los rifles, pero que ella podía apaciguar esos espíritus si se mudaba al oeste y construía una gran casa para ellos. "Mientras la esté edificando," le prometió el médium, "nunca tendrá que enfrentar la muerte."

Sara le creyó al espiritista, así que se mudó a San José, California, compró una casa sin terminar de ocho habitaciones e inmediatamente comenzó a ampliarla. Los trabajadores pasaron casi cuatro décadas edificando y reedificando la casa, demoliendo una sección para construir otra, añadiendo una y otra habitación y nuevos espacios. Construyeron escaleras que no conducían a ninguna parte, puertas que no daban acceso a nada, pasillos circulares en toda la casa, creando así una maza gigante diseñada para confundir a los espíritus.

El proyecto continuó hasta que Sara murió a la edad de 82 años. Costó más de cinco millones de dólares construir 160 habitaciones, 13 baños, 2.000 puertas, 47 chimeneas y 10.000 ventanas.

La casa Winchester todavía permanece hoy en un congestionado bulevar en la ciudad de San José, y es la atracción de miles de visitantes cada año. Pero como lo dijo cierto escritor: "La casa es más que una atracción turística. Es un mudo testigo del miedo a la muerte."[1] El temor que ha esclavizado a la humanidad desde principios del tiempo.

Durante la mayor parte de la historia, la humanidad ha sido asediada por el temor a la muerte, y con buena razón. Para los millones de personas que vivieron antes de la medicina moderna, la muerte era una realidad diaria que golpeaba indiscriminadamente y muchas veces sin razón aparente. Un día la madre sostiene a su hijo sonriente, al día siguiente el niño muere de una fiebre misteriosa. Un esposo sale a la mañana a cazar y a la tarde lo encuentran muerto por la cornada de un animal salvaje. Cuando una mujer quedaba embarazada, enfrentaba grandes probabilidades de fallecer durante el parto. Llegar a mediados de la edad adulta se consideraba todo un logro.

No creo que quienes vivimos en este siglo podamos apreciar plenamente la magnitud de la esperanza que Hebreos 2:14-15 debe haber dado a quienes leían estas palabras: "[Jesús] también participó de lo mismo, para destruir por medio de la muerte al que tenía el imperio de la muerte, esto es, al diablo, y *librar a todos los que por el temor de la muerte estaban durante toda la vida sujetos a servidumbre*" (énfasis agregado).

Si bien han disminuido los constantes recordatorios de nuestra mortalidad, creo que es justo decir que ninguno de nosotros está esperando morir. Una famosa ocurrencia de Woody Allen describe muy bien nuestra actitud: "No le temo a la muerte. Sólo que no quiero estar allí cuando suceda."[2]

Quizás por eso gastamos miles de millones de dólares cada año para tratar de detener o al menos retrasar el paso del tiempo. Decidimos hacer ejercicio, comer bien y tomar los complejos vitamínicos adecuados. Compramos comidas y drogas maravillosas, exploramos el Internet y las revistas en busca de la más reciente fuente de la juventud.

Algunas personas incluso llegan al extremo de pagar enormes sumas de dinero para que congelen sus cuerpos antes de morir, con la esperanza de que un día los doctores descubrirán el secreto para la vida eterna (o al menos una cura para la enfermedad que está a punto de matarlos). Una rápida inyección de suero, unos minutos en el horno microondas… y ¡listo! Al día siguiente estarán en el campo de golf. O por lo menos eso esperan.

Pero no importa cuánto nos esforcemos por vencer la muerte con dinero o inventos, al fin exhalaremos un último aliento. Porque la fría y cruda realidad de la vida es que todos moriremos.

Eso también fue cierto para Lázaro. Si bien Jesús lo levantó de la muerte de manera dramática una vez, aquel hombre aún estaba destinado a morir otra vez. De hecho, hoy día se pueden visitar dos tumbas diferentes que reclaman el mérito de haber albergado al hermano de Marta y de María. La primera se encuentra en Betania, que ahora se llama Eizariya.[3] La segunda se encuentra en la isla de Chipre. Según la tradición ortodoxa, Lázaro sirvió como obispo allí durante treinta años antes de fallecer en forma definitiva.[4]

Si bien existe controversia sobre el lugar de sepultura de Lázaro,[5] subsiste el hecho de que aquel a quien Jesús amó y resucitó de forma gloriosa, finalmente murió por segunda vez. Así como usted y yo moriremos algún día.

Porque no existe escape de la muerte. Pero tenga por cierto esto: La muerte no es el fin. Hay más por venir.

Alistarse para la muerte

Dios nos creó con un instinto natural de vivir y una resistencia visceral a morir. Dentro de nosotros hay un mecanismo reflejo que lucha por respirar, que se aferra y araña hacia la superficie de aquello por lo que estamos pasando para poder sobrevivir. Y así es como debe ser. Si no tenemos deseo de vivir, entonces algo está mal, muy mal. Algo ha causado un cortocircuito en nuestros cables, tanto física como espiritualmente.

La muerte no era parte del plan original de Dios. Usted y yo fuimos creados para la vida… la vida eterna. Para vivir una eternidad en compañía de nuestro Hacedor y de unos con otros.

Lamentablemente, Adán y Eva decidieron que querían más de lo que Dios les había ofrecido. Así que mordieron el anzuelo de la serpiente e intentaron tomar el control como iguales a Dios en lugar de descansar en el rol de hijos amados.

En consecuencia, el Padre tuvo que limitar su libertad. Los desterró del jardín y bloqueó el acceso al árbol de la vida para que no pudieran comer de él y "vivir para siempre" (Génesis 3:22). Como resultado, el tiempo de vida de la humanidad se redujo drásticamente. La muerte tuvo acceso a seres que habían sido creados para vivir para siempre.

¿Le parece duro? Aunque las acciones de Dios puedan parecer extremas debemos entender que el castigo nació por la gran misericordia.

Sólo piénselo. Sin la muerte, los desalojados Adán y Eva, sin mencionarnos ni usted ni yo, habrían sido confinados a una eternidad errante y solitaria. Una vida de esfuerzos sin esperanza y de monotonía sin sentido día y noche.

¿CÓMO SERÁ?

En su comentario sobre del Evangelio según Juan, Ray Stedman vuelve a contar una historia encantadora relativa a la muerte y cómo será cruzar de esta vida a la otra.

> Cuando Peter Marshall fue Capellán del Senado de los Estados Unidos, contó de un niño de doce años de edad que sabía que se estaba muriendo. El niño le preguntó a su padre: "¿Cómo será la muerte?" El padre lo abrazó contra su pecho y le dijo: "Hijo, ¿recuerdas cuando eras pequeño y solías venir y sentarte sobre mí en la silla grande que había en la sala? Yo te contaba un cuento, te leía un libro o te cantaba una canción, y tú te quedabas dormido en mis brazos. Más tarde despertabas en tu propia cama. Así será cuando mueras, Cuando despiertes de la muerte estarás en un lugar seguro y bello."

"Jesús declara que así será la muerte," nos recuerda Stedman. Es solamente una introducción a la experiencia de otra vida superior. Desde nuestra limitada perspectiva humana, vemos la muerte como una despedida final, un salto hacia el misterio, la oscuridad y el silencio. La muerte de un ser amado nos deja un sentimiento de soledad y privación, vagando solos por la vida. Pero Jesús dice: `No; la muerte es solamente un sueño´.[6] Hay un porvenir."

Tampoco queremos, hermanos,
que ignoréis acerca de los que duermen,
para que no os entristezcáis como los otros
que no tienen esperanza.
Porque si creemos que Jesús murió y resucitó,

> *así también traerá Dios con Jesús*
> *a los que durmieron en él.*
> 1 Tesalonicenses 4:13-14

Una existencia vacía, despojada del sentimiento constante de la presencia de Dios que Adán y Eva habían disfrutado.

Para dos personas que habían caminado y hablado con Dios, no puedo imaginar un destino más terrible. Condenados para siempre a caminar en soledad sin rumbo fijo. Girando sobre sí mismos, tratando de encontrar la salida de la confusión que su rebelión había creado.

La cual es una descripción bastante exacta de la existencia que llevamos hoy cuando intentamos vivir alejados de Dios.

¡Pero aquí van las buenas nuevas! La misericordia y la gracia de Dios marcaron nuestra vida aquí en la tierra con una línea señalando un fin. Y con una dulce ironía, nuestro Padre amoroso quitó aquello que más temíamos, la amenaza de muerte, y la colocó sobre la muerte misma. Transformó así las tumbas en puertas y los finales en nuevos comienzos. Cambió los coches fúnebres por carruajes relucientes para llevarnos a las mansiones gloriosas que están siendo preparadas en este mismo momento, ese hogar eterno para el que fuimos creados (2 Corintios 5:1).

Y todo eso es nuestro si tan sólo aceptamos el regalo que Jesús nos ofrece: el regalo de la vida eterna.

"¿Dónde está, oh muerte, tu aguijón?" exclama Pablo en 1 Corintios 15:55 mientras considera nuestro destino final y el vehículo que nos llevará hasta allí. "¿Dónde, oh sepulcro, tu victoria?"

A través de Jesucristo, "Sorbida es la muerte en victoria" (versículo 54).

El cruce

La victoria sobre la muerte no se encuentra sólo en el futuro. En un sentido muy real, para quienes han recibido a Cristo, la vida eterna comienza ahora. "Y si el Espíritu de aquel que levantó de los muertos a Jesús mora en vosotros," nos dice Pablo en Romanos 8:11, "él *vivificará* también vuestros cuerpos mortales por su Espíritu que mora en vosotros" (énfasis agregado).

Me encanta la palabra vivificará, porque habla de volver a la vida. Como puede ver, Jesús no promete una resurrección a medias. Él ofrece una auténtica reanimación ejecutada por el Espíritu Santo. ¡Una vida crepitante al extremo con apasionada electricidad!

Quizás es por eso que el retrato de Leonid Andreyev de un Lázaro medio muerto, o medio resucitado, no me parece verdadero. La idea de que Jesús resucitaría a su amigo para hacerlo infeliz no concuerda para nada con el Salvador que conozco, ni se compara con el maravilloso poder de Dios que ha estado obrando en mi vida. Cuando él resucita a alguien, lo resucita por completo.

Esto fue lo que sucedió con nuestro espíritu cuando fuimos salvos. Sin embargo, eso no significa que no haya más trabajo que hacer. Pablo enfatiza ese punto cuando afirma:

"Pero si Cristo está en vosotros, el cuerpo en verdad está muerto a causa del pecado, mas el espíritu vive a causa de la justicia" (Romanos 8:10).

Como ve, se necesita tiempo, y algunas luchas, para que nuestro cuerpo y nuestra alma se pongan al día con lo que ha sucedido en nuestro espíritu. Llevar la resurrección a cada área de nuestra vida es tanto el gozo como la lucha de nuestro caminar cristiano. Pero no lo hacemos solos. Es un trabajo en conjunto con el Espíritu Santo, de principio a fin. ¡Vamos conquistando la muerte en nosotros, y la vida vencerá!

Así que cuando pienso en Lázaro, no me imagino a un zombi deambulando medio loco y enojado con el mundo. No lo veo causando la locura de la gente que lo mira a los ojos. Más bien lo imagino abriendo sus mentes a todas las posibilidades, a todas las hermosas ramificaciones de una segunda oportunidad en la vida.

Después de todo, no logro pensar en nada más transformador, más liberador que enfrentar aquello a lo que uno más teme y descubrir que no tiene poder alguno. ¡Eso es tener una nueva perspectiva!

Lázaro reía

En mi mente, el Lázaro resucitado se vería más como el hombre que se muestra en la obra *Lazarus Laughed* ["Lázaro reía"], de Eugene O'Neill. Si bien no podemos acudir a O'Neill en búsqueda de sana doctrina, el personaje que retrata cautiva mi corazón y desafía mi alma. El maravilloso predicador John Claypool describe así al Lázaro resucitado que mostraba aquella fugaz producción de Broadway:

> O'Neill hizo que Lázaro saliera de la tumba riéndose. No con

> una risa amargada o desdeñosa, sino con un tono amable, tierno, penetrante. Luego de ser desatado de sus mortajas, la primera palabra que pronuncia es: "¡Sí!" No muestra una mirada perdida o distante, más bien parece mirar a las personas más cercanas con un nuevo tipo de afecto y deleite... Es como si todo tuviera un nuevo encanto debido a lo que aprendió. Hay una especie de paz y serenidad en él que es casi tangible...
>
> A medida que la obra avanza, Lázaro personifica el significado de ser liberados de la muerte. Su casa pasa a llamarse la casa de la risa. Allí hay música y danzas día y noche, y mientras él continúa viviendo en esta forma libre y maravillosa, ese gozo termina por atrapar a otros seres humanos, quienes dejan de tener temor y comienzan a ser generosos y compasivos unos con otros. Vuelven a enamorarse de la maravilla de la vida misma.[7]

¿Cómo sería si usted y yo pudiéramos finalmente perder el temor a la muerte y con él la subyugante obsesión por este mundo? ¿Si al tener una correcta perspectiva de la muerte pudiéramos enamorarnos otra vez de la intrínseca maravilla de la vida?

Estoy inclinada a creer que experimentaríamos más alegría y menos temor, más fe y menos duda, más amor y menos egoísmo, y una mayor plenitud de vida.

Si enfocáramos nuestra atención a vivir a la luz de la eternidad, comprendiendo que hay una vida gloriosa en un mundo perfecto futuro, pienso que aprenderíamos a disfrutar de este con más libertad, y de nuestros seres queridos menos posesivamente. Dios no tendría que hacer siempre lo que usted y yo pensamos que es lo mejor. Veríamos las posibilidades eternas en nuestros problemas cotidianos. Nos someteríamos nosotros y a quienes amamos más fácilmente al plan de Dios que a nuestras demandas.

Por sobre todo, pienso que aprenderíamos a vivir con manos abiertas y no con puños cerrados.

La alegría del sometimiento

Cuando recibí la noticia de que mi madre había sufrido un fuerte ataque cardiaco y sería sometida a una cirugía de emergencia, inmediatamente comencé en mi vehículo una jornada de 240 kilómetros rumbo sur para estar con ella. Eso ocurrió hace catorce años, antes de que tuviera un teléfono celular, de modo que estaría dos horas sin noticias, sin una palabra sobre el desarrollo de la cirugía. Ni siquiera estaba segura de que mi madre todavía estuviera viva.

Pero algo maravilloso ocurrió durante mi loca carrera por la autopista interestatal. Mientras conducía y oraba, y oraba y seguía conduciendo, llegué a entregarle a mi madre al Señor. La confié a su cuidado creyendo que él haría lo mejor. Y con el sometimiento vino una dulce paz que nunca antes había conocido. Supe entonces que todo iba a salir bien.

El hecho es que yo todavía no sabía si ella iba a estar bien. La paz que sentí no era una promesa de que mi madre sobreviviría a la cirugía. De hecho, supe después que realmente estuvo muerta durante unos minutos en la mesa de operaciones. La paz que me embargó mientras conducía hacia lo desconocido me prometía solamente esto:

Todo estaría bien. No importaba lo que ocurriera.

Cuando abrí mi mano y entregué mi madre al Dios que la amaba, incluso más de lo que yo la amo, sentí un gozo silencioso inundar mi corazón. Una dulce y subyacente sensación de bienestar que sobrepasaba la alegría misma, (pues esta última tiende a basarse en gran medida en los acontecimientos).

La paz estable que sentí fue un regalo del Señor, no algo que yo pudiera haber logrado por mi cuenta. Lázaro debe haber sentido esa misma paz cuando salió de la tumba de regreso a la vida, pero aumentada cien veces y matizada con una alegría extraordinaria.

Porque había viajado al lugar que nosotros los seres humanos evitamos a toda costa, y encontró a Dios esperándolo allí.

Cuando las tumbas no se abren

Como María y Marta, fui bendecida al recibir a mi ser amado, mi madre, de regreso después de haber estado al borde de la muerte. Pero estoy dolorosamente conciente de que quizá usted se encuentra entre los muchos que han estado frente a tumbas que no se han abierto.

Usted ha elevado oraciones desesperadas que no han sido respondidas. Tal vez, como Job, ha luchado por conciliar su fe en un Dios amoroso con un resultado al parecer no tan amoroso. Se ha preguntado en las noches sobre su cama cómo puede seguir creyendo que Dios es bueno cuando siente que todo en su vida está terriblemente mal.

Durante los últimos doce meses, especialmente, he tenido una vislumbre de cómo es sentirse así. Este ha sido un año extraño para mí. En medio de mi trabajo de escribir sobre el milagroso poder de Dios para rescatar y resucitar, he asistido a más funerales y he sido testigo de más tragedias que en todos los seis años pasados. Entre mis amigos ha habido dos graves ataques cardiacos, un derrame cerebral, tres muertes prematuras causadas por cáncer, la trágica muerte de un hijo, y el suicidio de un padre consternado, por mencionar sólo una pocas. En junio mi propio padre tuvo un serio hematoma cerebral y cinco meses después le diagnosticaron cáncer renal. Tres semanas más tarde mi esposo fue operado dos veces para extraerle cálculos del riñón.

A través de todo ello hemos experimentado una gama de emociones: danzando con gratitud en la sala de espera de un hospital en un momento, y llorando al lado de una tumba cubierta de nieve en el siguiente.

Y como usted, a través de todo esto nos hemos aferrado a Jesús cuando los "por qué" superaban nuestra capacidad de respuesta.

Yo no puedo empezar a explicar plenamente los caminos de Dios o por qué permite que el dolor y el sufrimiento coexistan al lado de su intenso amor por nosotros. Pero me pregunto si no será que quiere usar toda la aflicción de la que recientemente he sido testigo para balancear el mensaje que él quería que escribiera en este libro.

Es demasiado fácil predicar un evangelio ingenuamente optimista, que dice que si somos buenos, nada malo nos ocurrirá jamás. Un cristianismo pulcro y exitoso que sugiere que sí jugamos de acuerdo a las reglas, siempre seremos ganadores.

La historia de Lázaro refuta todo eso. Tal como lo hace la Biblia entera. Las Escrituras nunca eluden la realidad de que a la gente buena le ocurren cosas malas. Que Dios no siempre viene corriendo al rescate, al menos no en el tiempo que nosotros esperamos que lo haga. El amor se tarda a veces. Y hay momentos cuando el amor realmente parece retroceder permitiendo que nos ocurran cosas que jamás soñamos nos ocurrirían.

Si no pregúntele a José mientras araña día tras día las paredes de su prisión y cuenta los años que han pasado desde que tuvo sus sueños, cavilando cuándo y cómo perdió el favor de Dios.

Averígüele a Daniel mientras se abriga con su capa y tiembla en el foso, mitad por el frío y mitad por el miedo de los leones que le respiran en la nuca, todo porque no quiso negar a su Dios.

O hable con Juan, el discípulo que nos ha contado más acerca de Lázaro. Años después es un anciano exiliado y abandonado para que muera de hambre en la árida isla de Patmos, en donde se ha enterado de la desaparición de uno tras otro de sus amigos: del brutal martirio tras martirio de los hombres que habían seguido a Cristo. Los discípulos que habían demostrado fidelidad a Jesús siguiéndolo hasta la muerte. ¿Sería él el próximo?

Sin embargo, en cada caso aparentemente desesperado, el retardo del amor cumplió finalmente los propósitos de Dios. En el caso de José, salvar a Egipto y al mundo entonces conocido –sin mencionar a sus propios hermanos– de morir de hambre durante una hambruna. En el de Daniel, exaltar a Dios en una nación pagana como el único y verdadero Dios, quien es capaz de cerrar la boca de leones y cambiar el corazón de los reyes. Y en el caso de Juan el discípulo, proveernos una vislumbre de la eternidad (el libro del Apocalipsis), a través de la pluma de un anciano solitario.

Quizá el mismo retardo, la misma divina contención, tierna aunque difícil de entender, sea necesaria en su vida y en la mía. Pero cumplirá los propósitos de Dios si confiamos en él. Aunque aquí en la tierra nunca conozcamos la totalidad de la historia, podemos estar seguros de que nada en nuestra vida será desperdiciado o malgastado por Dios. Ni las pruebas ni las tragedias, ni siquiera la muerte nos puede separar de su amor (Romanos 8:39). Especialmente cuando le rendimos nuestros interrogantes y nuestra necesidad de entender, y confiamos toda nuestra confusión y temor a su corazón y a sus manos.

ALISTÉMONOS PARA LO REAL

He empezado a preguntarme si una razón por la cual Dios permite las dificultades en nuestra vida es la de despegarnos de este mundo; curar nuestra adicción a las cosas temporales que nunca satisfacen. Porque parece que los momentos cuando nos vemos cara a cara con el dolor y la muerte son los momentos en que se nos recuerda mejor que este mundo es tan sólo una sombra, un escueto boceto y un mero esbozo de la belleza que nos espera en otro mundo fuera de este. Una realidad alterna tan magnífica ncomprensible que a menudo nos olvidamos que existe.

En su maravilloso libro *Things Unseen* [Las Cosas Invisibles], Mark Buchanan nos cuenta la historia de una pareja que perdió a su hijo recién nacido debido a un raro y grave desorden genético. Tres meses después u niñita de dos años de edad murió también. En medio de su pérdida brumadora, Marshall y Susan Shelley contendían doloridos con Dios. *¿Por ué, Señor?* Seguían preguntando. *¿Por qué lo hiciste? ¿Qué significa todo esto?*[8]

Posteriormente Marshall contó la lucha que tuvo tratando de comprender a muerte de su hijo, en un artículo que escribió para la revista *Christianity Today* [Cristianismo Hoy]. "¿Por qué creó Dios un niño para vivir dos minutos?" se preguntó, pero él mismo respondió su pregunta:

> Él no lo hizo. Él no creó a Mandy para que viviera dos años. No me creó a mí para vivir 40 años (o cualquier otra cantidad de tiempo que me quiera conceder en este mundo).
>
> Dios creó a Toby para la eternidad. Nos creó a cada uno de nosotros para la eternidad, en donde nos sorprenderá encontrar nuestro verdadero llamamiento, el cual siempre parece estar lejos de nuestro alcance aquí sobre la tierra.[9]

¡Qué idea tan extraordinaria! No fuimos creados para esta tierra solamente ino para un futuro infinito con Dios. Con un destino que trasciende las limensiones de tiempo y espacio. ¡Cómo cambiarían nuestras vidas si en erdad despertáramos a esa realidad!

¿Soy sólo yo, o es cierto que perdimos ese sentir de otro mundo que nos spera como cristianos? ¿Hemos llegado a estar tan apegados a este mundo sus comodidades que olvidamos que somos en él solamente peregrinos? Como si fuéramos extraterrestres, creados para otro lugar, este mundo es tan olo una nave espacial destinada a transportarnos a través de la vida hasta nuestro verdadero hogar.

Me encanta la descripción que al respecto hace Elizabet Elliot:

> El cielo no está *aquí*, está *allá*. Si se nos diera aquí todo lo que queremos, nuestros corazones se asentarían en este mundo y no en el venidero. Dios siempre nos está atrayendo hacia arriba y alejándonos de este; enamorándonos de él y de su Reino,

todavía invisible, en donde sin duda encontraremos lo que tan profundamente hemos anhelado.[10]

Añorando el hogar

Alguien preguntó una vez: "¿Por qué tenemos la tendencia a vivir como si la eternidad durara ochenta años, y como si esta vida durara para siempre?"

Pienso que esta es una pregunta importante. Siendo una joven cristiana me di cuenta que si fuéramos a trazar una línea en un momento de la eternidad, y luego tratara de ubicar mi vida en esa continuidad, tal vez ni siquiera aparecería. En realidad estos ochenta y tantos años que nos son dados, son solamente un parpadeo en la pantalla del tiempo, o como lo dice Santiago 4:14, una "neblina que se aparece por un poco de tiempo, y luego se desvanece."

Algunas personas, incluso algunos cristianos, no creen que haya más después de esta vida. Desde su perspectiva personal, vivimos y luego morimos. Polvo al polvo, cenizas a las cenizas, y nada más. Somos comida para los gusanos. Dicen que no hay tal cosa como la resurrección, y que Jesús no volverá. El cielo, si es que existe, se encuentra aquí sobre la tierra.

Y en cierto sentido, tienen algo de razón. El cielo comienza sobre la tierra cuando, mediante Cristo, el "Reino de los cielos se acerca" (Mateo 4:17). Para quienes han depositado toda su esperanza en Jesús, la eternidad ya comenzó.

¿Pero decir que esto es todo cuanto hay? No puedo pensar en algo más decepcionante o triste. Porque si la limitada prueba o sabor del cielo que experimentamos aquí sobre la tierra es todo lo que podemos esperar, ¿para qué molestarnos?

El apóstol Pablo estaba de acuerdo: "Porque si no hay resurrección de muertos, tampoco Cristo resucitó," nos dice en 1 Corintios 15:13-14. "Y si Cristo no resucitó, vana es entonces nuestra predicación, vana es también vuestra fe."

Pablo estaba plenamente convencido de que la eternidad es lo que importa, no esta vida endeble y corta a la cual nos apegamos. De hecho el apóstol hace una audaz e increíble declaración que debe sacudir no solamente nuestra manera de pensar sino impactar la forma en que vivimos. "Si solamente en esta vida esperamos en Cristo, somos los más dignos de conmiseración de todos los hombres" (1 Corintios 15:19).

Dicho en otras palabras, si esto es todo lo que hay, compañeros, estamos

Viva a la luz de la eternidad

¿Cómo pues viviremos a la luz de la eternidad? Si la eternidad es nuestro verdadero hogar, ¿no le parece que deberíamos conducirnos, durante nuestra vida en la tierra, de manera diferente al mundo? A continuación le sugiero unos principios:

- ***Viva plenamente.*** No desperdicie el día de hoy lamentándose por el pasado o temiendo el futuro, porque éste podría ser su último día sobre la tierra. Aprovéchelo bien viviendo para Dios.
- ***No se aferre a las cosas materiales.*** Ya que no podemos llevarnos nuestras posesiones, disfrute lo que tiene pero no se aferre demasiado a las cosas ni caiga en la trampa de siempre querer tener más.
- ***Tenga a otros en alta estima.*** El verdadero tesoro en la tierra son las personas; estas son importantes de valorar e invertir, porque son lo único que podemos llevar de esta vida cuando partamos a la eternidad.
- ***Viaje liviano.*** No cargue con el equipaje del pasado y no empaque rencores por el camino. La vida es muy corta para vivir miserablemente.
- ***Ame con todo su corazón.*** Permita que el amor de Dios por su pueble se refleje a través de su vida. Sea tierno, no sea cabeza dura, paciente y rápido en perdonar, misericordioso y lento en juzgar a otros.
- ***Sea generoso.*** No acumule lo que tiene. En cambio, compártalo alegremente y usted verá que recibirá más. Su generosidad libera bendiciones así como la siembra conduce a la cosecha.
- ***Mire con expectación.*** En su diario andar, coloque su mirada en las cosas de arriba, siempre preparados, aguardando el regreso inminente del Señor Jesucristo. Ponga su mirada en las cosas celestiales y empéñese al bien sobre la tierra.

Por lo cual, oh amados,
estando en espera de estas cosas,
[el regreso de Cristo] procurad con diligencia ser
hallados por él sin mancha e irreprensibles, en paz.
2 Pedro 3:14

en un grave problema.

Por eso es tan importante vivir a la luz de la eternidad. Si no cultivamo una perspectiva eterna, nos quedaremos atascados o encallados tanto en la bendiciones como en los problemas de esta vida. Tenemos la tendencia obsesionarnos con el éxito, a dejarnos poseer por nuestras posesiones, y caer en la adicción de nuestros apetitos, deseando más, y más, y siempre má

Podemos decir que Jesús es nuestro amigo; declarar que él es nuestr posesión más preciada, y afirmar que él es más que suficiente. Pero fallamos en pensar en función de la eternidad, es muy posible que cedamos la tendencia a aferrarnos a todo lo que cabe en nuestras manos ya llenas, pc el temor de que esto es todo lo que hay, y que es mejor adquirir todo lo qu se pueda mientras ello sea bueno.

Pero esta no es la vida para la cual fuimos creados. De hecho eso n es vida, después de todo. Es solamente otra tumba. Con paredes mejc decoradas, tal vez; con muebles más finos. Pero sigue siendo nada más qu una tumba.

La última palabra

Lázaro supo que no es para esta vida terrenal que fuimos hechos. Y piens que debe haber reído. Porque en la experiencia de morir y ser resucitadc él debió descubrir que había para vivir mucho más de lo que conocía. Par sus ojos nacidos de nuevo, la vida a la cual había estado apegado, la que parecía tan cargada de dificultades, tiene que haberla visto como un jueg de niños.

Por su breve vislumbre de la eternidad Lázaro seguramente pudo distingu lo falso de lo auténtico. Las copias de carbón que con tanta dificulta hacemos, los sueños de cartón que ocupan nuestra mente y nuestro corazór Los juegos tontos que jugamos. Las cosas intrascendentes que inflamos hast que parecen de enorme trascendencia.

El Lázaro resucitado seguramente vio la vida de manera diferente porque ıpo que había más en el futuro. Si pudiéramos captar esa realidad, Lázaro o sería el único en reír.

Porque viene un día que causará un gozo tal que jamás hemos conocido. Jna risa que será provocada por el sonido de una trompeta que anuncia a na magnificente figura cabalgando en un gran caballo blanco, que lleva n sus manos las llaves del infierno, la muerte y la tumba, y se dirige hacia osotros en una marcha triunfal (Apocalipsis 1:18).

Cristo mismo; nuestro Salvador, quien estuvo una vez en la tumba pero hora vive. Que resucitó y se fue para estar a la diestra del Padre, pero que olverá otra vez. ¡De eso podemos estar seguros!

> Porque el Señor mismo con voz de mando, con voz de arcángel, y con trompeta de Dios, descenderá del cielo; y los muertos en Cristo resucitarán primero. Luego nosotros los que vivimos, los que hayamos quedado, seremos arrebatados juntamente con ellos en las nubes para recibir al Señor en el aire, y así estaremos siempre con el Señor. Por tanto, alentaos los unos a los otros con estas palabras (1 Tesalonicenses 4:16-18).

¡Qué día maravilloso va a ser ese! No sabemos cuándo *ocurrirá*, pero odemos estar seguros de que *ocurrirá*. Está escrito en blanco y negro a ravés de toda la Palabra. Pero más importante aún, ha sido firmado y sellado n rojo por la preciosa sangre de Jesucristo.

"No se turbe vuestro corazón," dijo Jesús a sus discípulos poco después e haber resucitado a Lázaro. "Creéis en Dios, creed también en mí. En la asa de mi Padre muchas moradas hay; si así no fuera, yo os lo hubiera dicho; oy, pues, a preparar lugar para vosotros. Y si me fuere y os preparare lugar, endré otra vez, y os tomaré a mí mismo, para que donde yo estoy, vosotros ambién estéis" (Juan 14:1-3).

Jesús va a regresar. Volverá por usted y por mí. Y lo que ha preparado ara nosotros no se parecerá en nada a lo que Sara Winchester pudo haber naginado. Más habitaciones, más puertas, muchas más ventanas. Él está reparando una mansión, "muchas mansiones", nos dice la Versión Reina-Valera en Juan 14:2, y todo ello para su Esposa.

Porque es amor lo que lo impulsa a hacerlo. El amor por usted, por mí, y por todos los demás que alguna vez respondimos su llamado, deshaciéndono de nuestras mortajas mientras salíamos tambaleando de la tumba y corríamo a los tiernos brazos de nuestro Señor. Riendo y llorando al mismo tiemp mientras nos reunimos con él para la máxima celebración que ha de ocurri

Su lugar en la mesa

Yo hubiera deseado estar allí, en la cena que María y Marta le ofrecieron Jesús, el hombre que volvió a la vida a su hermano. Juan 12:1-3 la describ de esta manera:

> Seis días antes de la pascua, vino Jesús a Betania, donde estaba Lázaro, el que había estado muerto, y a quien había resucitado de los muertos. Y le hicieron allí una cena; Marta servía, y Lázaro era uno de los que estaban sentados a la mesa con él. Entonces María tomó una libra de perfume de nardo puro, de mucho precio, y ungió los pies de Jesús, y los enjugó con sus cabellos; y la casa se llenó del olor del perfume.

Qué cuadro más tierno de una dulce comunión. Puedo visualizar Marta llevando los platos de suculenta comida, pero esta vez deteniéndos para escuchar lo que habla su Maestro. Veo a María atenta a cada una d sus palabras, pero también con una profunda emoción en su corazón pc poder ungir al Señor con lo mejor que ella tiene para darle. No pued dejar de preguntarme si Juan, el discípulo amado, cedió su asiento regula para que Lázaro pudiera tener la oportunidad de recostarse sobre Jesús. L embriagante fragancia que llenó la casa seguramente no provenía solament del perfume de María.

Pero tan tierna como pudo haber sido la escena, también estuvo llena d tensión. Amenazas de muerte contra Jesús, y contra Lázaro, circulaban e toda la aldea. Y aunque muchas personas estaban creyendo y depositando s fe en el Señor, otras temían su creciente influencia. Incluso unos cuantos d sus seguidores estaban incómodos con la forma en que estaban ocurriend las cosas.

Cuando María derramó todo el perfume sobre los pies de Jesús, quizá Judas Iscariote no fue el único en pensar que esto era un desperdicio. Per Jesús elogió la extravagante ofrenda de María: “Déjenla,” dijo; “para el dí de mi sepultura ha guardado esto" (versículo 7).

El Señor sabía que su tiempo sobre la tierra estaba llegando a su fin. Esta sería la última comida que compartiría en Betania con sus queridos amigos. Tiernos recuerdos deben haber pasado por la mente de Jesús mientras observaba a Marta sirviendo, y a Lázaro recostado en su hombro. Cuando María se inclinó para enjugar el perfume con sus cabellos, también debe haber derramado su amor sobre su corazón.

Para mí la descripción de esta comida es especialmente importante ya que es la última vez que la Biblia menciona a la familia de Betania. Después de pasar más de una década imaginando y escribiendo sobre sus vidas, anhelo conocer a María, Marta y Lázaro en persona.

¡Y algún día lo haré! Porque cuando la final trompeta suene, todos nos reuniremos con Jesús en el aire. Entonces después, allá en los cielos, la familia de Betania y el resto de la familia de Dios nos sentaremos juntos en la suntuosa fiesta: la cena de las bodas del Cordero (Apocalipsis 19:9).

Teniendo en mente lo anterior, ¿me permite hacerle unas cuantas preguntas?

Cuando usted piensa en ese glorioso día, ¿en dónde se ve sentado? ¿Qué cree que estará haciendo? ¿Se arrodillará a los pies de Jesús en adoración, o se sentará a su lado para hablar con él mientras le pasa un plato de comida? ¿Correrá hacia él como un niño y se subirá en sus piernas… o mirará sus ojos con detenimiento antes de doblar sus rodillas en adoración? Tan solo imagine lo maravilloso que todo esto será.

Luego permítame preguntarle, ¿está haciendo eso aquí?

¿Se está acercando a Jesús todo lo que le es posible mientras vive para él aquí sobre la tierra? ¿Le entrega la duda de su amor y el temor a la regla para poder correr hacia él diariamente, así como una persona se apresura a encontrar a su amigo?

Primera de Corintios 13:12 sugiere que en el cielo seremos conocidos como nos conocen aquí en la tierra. Y eso, creo yo, debe tener implicaciones radicales en la forma en que vivimos la vida cada día. Yo no quiero esperar hasta llegar a los cielos para conocer a Jesús. Deseo acercarme a él hoy.

Quiero recostar mi cabeza sobre su hombro y escuchar el palpitar de su corazón, tal como lo hizo el discípulo Juan (Juan 21:20). Poner a sus pies mi mayor tesoro, como lo hizo María. Servirle de todo corazón, incluso atender su reproche y cambiar, como lo hizo Marta.

La mayoría de nosotros quiere reír, como Lázaro. Yo quiero reír con una

risa franca, con asombro, con la profunda convicción de que pertenezc
a Jesús y él me pertenece. Que nada, pero absolutamente nada me podr
separar de su amor. Ni las pruebas de esta vida, ni las baratijas de este mundc
porque "Yo soy de mi amado, y mi amado es mío" (Cantares 6:3).

En el año 890 d.C., cuando supuestamente se descubrió en Chipr
la tumba del hermano de María y Marta, el sarcófago de mármol qu
encontraron tenía grabada una sencilla inscripción: "Lázaro... amigo d
Cristo."[11]

No puedo pensar en una mejor definición para uno en vida o en muerte
Tanto aquí, sobre esta tierra, como allá, algún día. Porque este mundo no e
nuestro hogar. Estamos simplemente de paso.

De modo que vivamos siempre como si estuviéramos muriendc
manteniendo en perspectiva la eternidad. Especialmente cuando la vida e
dura y no la podemos entender. Cuando el amor parece tardar y nos sentimo
tentados a dudar del amor de Dios y a perder la esperanza.

Porque es en tiempos así, mi amigo y amiga, que debemos recordar...

Hay más por venir.

Apéndice A

La historia

Juan 11–12:1-11

1 Estaba entonces enfermo uno llamado Lázaro, de Betania, la aldea de María y de Marta su hermana.

2 (María, cuyo hermano Lázaro estaba enfermo, fue la que ungió al Señor con perfume, y le enjugó los pies con sus cabellos.

3 Enviaron, pues, las hermanas para decir a Jesús: Señor, he aquí el que amas está enfermo.

4 Oyéndolo Jesús, dijo: Esta enfermedad no es para muerte, sino para la gloria de Dios, para que el Hijo de Dios sea glorificado por ella.

5 Y amaba Jesús a Marta, a su hermana y a Lázaro.

6 Cuando oyó, pues, que estaba enfermo, se quedó dos días más en el lugar donde estaba.

7 Luego, después de esto, dijo a los discípulos: Vamos a Judea otra vez.

8 Le dijeron los discípulos: Rabí, ahora procuraban los judíos apedrearte, ¿y otra vez vas allá?

9 Respondió Jesús: ¿No tiene el día doce horas? El que anda de día, no tropieza, porque ve la luz de este mundo;

10 pero el que anda de noche, tropieza, porque no hay luz en él.

11 Dicho esto, les dijo después: Nuestro amigo Lázaro duerme; mas voy para despertarle.

12 Dijeron entonces sus discípulos: Señor, si duerme, sanará.

13 Pero Jesús decía esto de la muerte de Lázaro; y ellos pensaron que hablaba del reposar del sueño.

14 Entonces Jesús les dijo claramente: Lázaro ha muerto;

15 y me alegro por vosotros, de no haber estado allí, para que creáis; mas vamos a él.

16 Dijo entonces Tomás, llamado Dídimo, a sus condiscípulos: Vamos también nosotros, para que muramos con él.

17 Vino, pues, Jesús, y halló que hacía ya cuatro días que Lázaro estaba en el sepulcro.

18 Betania estaba cerca de Jerusalén, como a quince estadios;

19 y muchos de los judíos habían venido a Marta y a María, para consolarlas por su hermano.

20 Entonces Marta, cuando oyó que Jesús venía, salió a encontrarle; pero María se quedó en casa.

21 Y Marta dijo a Jesús: Señor, si hubieses estado aquí, mi hermano no habría muerto.

22 Mas también sé ahora que todo lo que pidas a Dios, Dios te lo dará.

23 Jesús le dijo: Tu hermano resucitará.

24 Marta le dijo: Yo sé que resucitará en la resurrección, en el día postrero.

25 Le dijo Jesús: Yo soy la resurrección y la vida; el que cree en mí, aunque esté muerto, vivirá.

26 Y todo aquel que vive y cree en mí, no morirá eternamente. ¿Crees esto?

27 Le dijo: Sí, Señor; yo he creído que tú eres el Cristo, el Hijo de Dios, que has venido al mundo.

Jesús llora ante la tumba de Lázaro

28 Habiendo dicho esto, fue y llamó a María su hermana, diciéndole en secreto: El Maestro está aquí y te llama.

29 Ella, cuando lo oyó, se levantó de prisa y vino a él.

30 Jesús todavía no había entrado en la aldea, sino que estaba en el lugar donde Marta le había encontrado.

31 Entonces los judíos que estaban en casa con ella y la consolaban, cuando vieron que María se había levantado de prisa y había salido, la siguieron, diciendo: Va al sepulcro a llorar allí.

32 María, cuando llegó a donde estaba Jesús, al verle, se postró a sus pies, diciéndole: Señor, si hubieses estado aquí, no habría muerto mi hermano.

33 Jesús entonces, al verla llorando, y a los judíos que la acompañaban, también llorando, se estremeció en espíritu y se conmovió,

34 y dijo: ¿Dónde le pusisteis? Le dijeron: Señor, ven y ve.

35 Jesús lloró.

36 Dijeron entonces los judíos: Mirad cómo le amaba.

37 Y algunos de ellos dijeron: ¿No podía éste, que abrió los ojos al ciego, haber hecho también que Lázaro no muriera?

38 Jesús, profundamente conmovido otra vez, vino al sepulcro. Era una cueva, y tenía una piedra puesta encima.

39 Dijo Jesús: Quitad la piedra. Marta, la hermana del que había muerto, le dijo: Señor, hiede ya, porque es de cuatro días.

40 Jesús le dijo: ¿No te he dicho que si crees, verás la gloria de Dios?

41 Entonces quitaron la piedra de donde había sido puesto el muerto. Y Jesús, alzando los ojos a lo alto, dijo: Padre, gracias te doy por haberme oído.

42 Yo sabía que siempre me oyes; pero lo dije por causa de la multitud que está alrededor, para que crean que tú me has enviado.

43 Y habiendo dicho esto, clamó a gran voz: !!Lázaro, ven fuera!

44 Y el que había muerto salió, atadas las manos y los pies con vendas, y el rostro envuelto en un sudario. Jesús les dijo: Desatadle, y dejadle ir.

Juan 12

1 Seis días antes de la pascua, vino Jesús a Betania, donde estaba Lázaro, el que había estado muerto, y a quien había resucitado de los muertos.

2 Y le hicieron allí una cena; Marta servía, y Lázaro era uno de los que estaban sentados a la mesa con él.

3 Entonces María tomó una libra de perfume de nardo puro, de mucho precio, y ungió los pies de Jesús, y los enjugó con sus cabellos; y la casa se llenó del olor del perfume.

4 Y dijo uno de sus discípulos, Judas Iscariote hijo de Simón, el que le había de entregar:

5 ¿Por qué no fue este perfume vendido por trescientos denarios, y dado a los pobres?

6 Pero dijo esto, no porque se cuidara de los pobres, sino porque era ladrón, y teniendo la bolsa, sustraía de lo que se echaba en ella.

7 Entonces Jesús dijo: Déjala; para el día de mi sepultura ha guardado esto.

8 Porque a los pobres siempre los tendréis con vosotros, mas a mí no siempre me tendréis.

9 Gran multitud de los judíos supieron entonces que él estaba allí, y vinieron, no solamente por causa de Jesús, sino también para ver a Lázaro, a quien había resucitado de los muertos.

10 Pero los principales sacerdotes acordaron dar muerte también a Lázaro,

11 porque a causa de él muchos de los judíos se apartaban y creían en Jesús.

Apéndice B

Guía de estudio

Con sólo una palabra Jesús llamó a Lázaro de su tumba, y su Palabra también nos puede ayudar a salir de la nuestra. Este estudio bíblico de diez semanas está diseñado para ayudarle a usted a avanzar hacia su propio despertar como el de Lázaro. (Líderes de grupo: si un formato de ocho semanas es más conveniente para ustedes, al final de esta guía encontrarán instrucciones para adaptarlo. Pueden consultar también el libro de tareas y la guía para líderes que están disponibles y se pueden bajar de nuestra página de Internet www.joannaweaverbooks.com.)

Cualquier versión de la Biblia que usted disfrute y entienda sirve para este estudio (aunque en esta traducción se ha utilizado para las preguntas la versión Reina-Valera Revisada -1960). También necesitará una libreta de notas y un bolígrafo para registrar sus respuestas a las preguntas que aparecen en esta guía. Antes de empezar cada lección pídale al Espíritu Santo que aumente su entendimiento mientras examina la Palabra de Dios para que pueda aplicar las verdades que descubra.

Cada lección comienza con preguntas para reflexión individual o para discusión de grupo, y avanza luego hacia un estudio más profundo de los principios bíblicos. Al final de la lección tendrá la oportunidad de escribir al respecto o de discutir lo que le haya sido de más bendición en ese capítulo. Las historias, citas y los subtítulos dentro de los capítulos le proveerán mayores oportunidades de discusión o reflexión.

"Andaré en libertad, porque busqué tus mandamientos" nos dice el Salmo 119:45. La misma libertad espera a cada uno de nosotros si inclinamos nuestros corazones para conocer la Palabra de Dios. Dedíquese a este estudio en oración, dándole a Dios acceso a cada tumba que le impide vivir una vida resucitada. Porque el amor está pronunciando su nombre. ¿Está usted listo, o lista, para "venir fuera"?

CAPÍTULO UNO: LA HISTORIA DEL TERCER SEGUIDOR

Preguntas para discusión o reflexión

1. Este capítulo menciona mi dificultad con el álgebra mientras estudiaba. ¿En cuál materia se desempeñó mejor en sus estudios? ¿En cuál le iba peor?

2. Mire la barra lateral titulada: ¿Qué clase de padre tiene usted?, en la página cuatro. ¿con cuál mala representación de Dios ha tenido que luchar usted?, (si ha tenido alguna). ¿Ha tenido otra que no haya sido mencionada? ¿Cómo considera que la relación con su padre terreno ha afectado su relación con Dios?

Profundizando

3. Piense en las palabras de David en el Salmo 22:1, de las cuales se hizo eco Jesús en la cruz. La Biblia menciona cantidad de personas que lucharon con la duda del amor de Dios. ¿Qué clase de circunstancias en su vida le han hecho cuestionar el amor de Dios? ¿Qué le ha ayudado a pasar la confianza en el amor de Dios, de su cabeza a su corazón?

4. Lea la historia de Lázaro en Juan 11:1 – 12:11 (o vea el Apéndice A). Encierre con un círculo o subraye las frases claves. Para usted, ¿qué es lo que sobresale en este pasaje y por qué?

5. Póngase en las sandalias de María, Marta o Lázaro. Escriba una carta a Jesús desde esa perspectiva personal. Puede escoger cualquier momento cronológico de la historia.

6. ¿Qué revelan los siguientes versículos acerca del amor que Dios tiene por nosotros?

   Salmo 86:15______________________________________

   Romanos 8:35-39__________________________________

   1 Juan 3:1_______________________________________

7. En una tarjeta escriba los versículos de Efesios 3:17 – 19, comenzando con las palabras "Oro". Remítase a ella con frecuencia durante los próximos días, memorizando el pasaje frase por frase. Repítalo hasta que se convierta en parte de usted mismo.

8. ¿Qué le habló más a usted en este capítulo?

Capítulo Dos:

Señor, el que amas está enfermo

Preguntas para discusión o reflexión

1. Describa brevemente cómo llegó usted a conocer a Jesús como su Salvador personal. (Si todavía no ha recibido el regalo que él ofrece, ¿por qué no hacerlo hoy? Mire "La Invitación" en la página 35).

2. Si usted fuera a mandarle un mensaje a Jesús relacionado con su situación y necesidad presente, ¿cómo llenaría el espacio en blanco de la frase: "Señor, el que amas está __________ ____?"

Profundizando

3. El pecado es algo mortal y nos separa de Dios. De las tres opciones, escriba el versículo que coincida mejor con cada una de las frases siguientes, escribiendo en la letra adecuada en los espacios en blanco. (a) Salmo 106:43; (b)

Hechos 8:23; (c) Santiago 1:14-15.

__Nos llena de amargura __Incitados por nuestros deseos
__Nos echa a perder __Nos mantiene cautivos
__Termina en muerte __Nos hace revelar contra Dios

4. Lea "¿Qué hace Dios con nuestros?" pecados (páginas 32-33). ¿Cuál de los puntos enumerados por Rosalinda Goforth habla más a su corazón? Mire los pasajes anteriores y entonces escríbalos en sus propias palabras.

5. ¿Cómo es que Satanás, sin mencionar su propia naturaleza caída, tiende a adormecerle espiritualmente aunque usted sea cristiano?

6. Piense en los siguientes versículos. De acuerdo con estos pasajes, ¿por qué es tan importante que despertemos, y qué implicaría nuestro despertar?

Mateo 25:1-13______________________________
Romanos 13:11-12____________________________
Efesios 5:11-15______________________________

7. "¡Dios no está enojado con usted!" Esa es la parte mejor del evangelio, ha dicho alguien. En efecto, en vez de guardar resentimientos el Señor quiere perdonarnos y hacernos suyos. Mire los pasajes anteriores y medite de veras en ellos. Bajo cada referencia a continuación, escriba las palabras o frases que revelan la actitud de Dios hacia nosotros.

Isaías 44:21-22 - 2 Corintios 5:17-21 - Colosenses 1:21-23a

8. ¿Qué le habló más a usted en este capítulo?

Capítulo tres: Nuestro amigo Lázaro

Preguntas para discusión o reflexión

1. Describa un momento –grande o pequeño– cuando usted se sintió amado de manera especial.

2. Tome el texto que se encuentra en el subtítulo "¿Qué clase de amigo soy?" en las páginas____. ¿Qué descubrió acerca de su relación con Dios? ¿En la relación con otros? Comparta un aspecto de la amistad en el cual usted haya crecido.

Profundizando

3. ¿Cómo responde usted a la idea de que Dios es emotivo, que siente soledad y necesita conexión con alguien? ¿Encuentra esa posibilidad consoladora o amenazante? Lea Génesis 2:18 – 3:13. ¿Qué cree usted que sintió Dios cuando Adán y Eva escogieron desobedecer? Si él hubiera hecho una anotación en su diario en ese lejano día, ¿qué habría escrito?

4. Lea Hebreos 8:10 – 12, que describe el nuevo pacto que Dios ha hecho con usted y conmigo. Si realmente comprendiéramos y respondiéramos a su profundo deseo de compañerismo, ¿cómo cambiaría nuestra perspectiva hacia las siguientes cosas que hacemos como cristianos?
   La oración y la lectura diaria de la Biblia:______________
   La asistencia a la iglesia:______________________________
   Vivir una vida santa: ____________________________

5. Las declaraciones que se encuentran a continuación describen a tres famosos amigos de Dios: Abraham, Moisés y David. Usando Números 12:7-8, Hechos 13:22, Y Santiago 2:21-23 como referencias, asigne las características enumeradas a continuación con cada uno de estos amigos. ¿Alguna de

estas cualidades se pueden asignar a usted, aunque sea en pequeña medida?

__________Fue un hombre conforme al corazón de Dios.

__________Fue fiel en toda su casa.

__________Su fe y sus acciones obraron conjuntamente.

__________Hacía todo lo que Dios quería que hiciera.

__________Creyó a Dios y le fue contado por justicia.

__________Dios le habló claramente y sin enigmas.

6. Lea Juan 15:13-17. Escriba lo que descubra en este pasaje en cuanto a ser amigo de Jesús.

7. Lea "";Ayúdame a amarte más!" en la página 46. ¿Qué escribiría en el espacio en blanco en la barra lateral? Escriba su propia oración al Señor pidiéndole que aumente su capacidad para amarlo más y mejor.

8. ¿Qué le habló más a usted en este capítulo?

Capítulo cuatro:

Cuando el amor se tarda

Preguntas para discusión y reflexión

1. Describa un tiempo en su vida cuando esperar fue especialmente difícil. ¿Cómo reaccionó usted a este proceso, y qué aprendió?

2. Una gratificación que se tarda es difícil para todos nosotros. Considere los siguientes aspectos, e identifique con cuál (o cuáles) luchó usted más mientras crecía, y cuál le resulta más difícil hoy. Si es posible, dé ejemplos específicos.

- Adaptarse a situaciones no tan perfectas.
- Esperar la satisfacción de necesidades o deseos.
- Aceptar no solamente las demoras sino también las negativas de lo que queremos.
- Otra ____

Profundizando

3. Una de las cosas acerca de Dios que a muchas personas les cuesta trabajo entender es por qué no siempre interrumpe o interviene cuando estamos en dificultades. En vez de eso se especializa en redimir la situación utilizándola para nuestro bien y el de su Reino. Mire los siguientes pasajes y escriba el problema que Dios permitió, y el beneficio que se derivó del mismo.

    Hechos 7:59 – 8:3 Problema: ______________
    Hechos 11:19-21 Resultado: ______________

    Hechos 21:30-36 Problema: ______________
    Filipenses 1:12-14 Resultado: ______________

4. Los seres humanos, tenemos una inclinación a las fórmulas: Si nosotros hacemos A y B, entonces Dios tendrá que hacer C. Lea Isaías 55:8-9, y Romanos 11:33-36 varias veces, y permita que la perspectiva celestial sature su corazón. Escriba una respuesta al Señor concerniente a las formas en que usted ha tratado de controlarlo mediante "fórmulas" en vez de sencillamente confiar en que él sabe qué es lo mejor.

5. Lea "La bendición de tener problemas" en las páginas 66-67. Piense en una ocasión cuando usted le pidió algo a Dios y no obtuvo lo que pidió. ¿Cómo afectó esa experiencia su carácter y su vida? ¿Piensa que creció como resultado de esa experiencia? ¿Por qué sí, o por qué no?

6. ¿Qué tienen que decir los siguientes versículos sobre los

beneficios de esperar? Encierre con un círculo el beneficio que signifique más para usted.

Salmo 40:1-3 ______________________________

Isaías 64:4 ________________________________

Lamentaciones 3:24-27 ______________________

7. ¿En cuál área de su vida necesita usted entregarle a Dios el control? Lea Romanos 8:28 y escríbaselo a Dios otra vez como una oración, reemplazando la frase "todas las cosas" con detalles específicos de su situación. Finalice la oración con una declaración de su amor y dedicación a la voluntad divina.

8. ¿Qué le habló más a usted en este capítulo?

Capítulo Cinco: Morando en los sepulcros

Preguntas para discusión o reflexión

1. La lápida de una tumba en Nuevo México, dice: "Aquí yace Juanito Levadura. Perdón por no levantarme"[1] Otra en Colorado, protesta: "¡Les dije que estaba enfermo!" Estos son epitafios tontos y jocosos, pero hablando en serio, ¿qué le gustaría que dijera el suyo?

2. Piense en la reflexión titulada "Heridas, complejos y malos hábitos" en la página 80-81. ¿Cuál de estas tres categorías de fortalezas tiende a hacerlo tropezar más frecuentemente en su caminar con Dios? Si no le incomoda hacerlo, mencione por lo menos una con la cual está luchando (¡o se ha dado por vencido!) en este preciso momento. En forma privada, o en grupo, lleve estas cosas al Señor en oración y reclame la promesa de Santiago 5:16.

Profundizando

3. La Biblia habla con poder de muchos asuntos. Utilizando una concordancia busque una palabra, o grupo de palabras, que se refieran a su lucha particular: lujuria, ira, orgullo, temor, mentira, cualquier cosa que esté enfrentando. (Si es necesario pida la ayuda de una migo con experiencia en estudio bíblico.) Escoja tres versículos pertinentes, escríbalos y luego escoja uno para memorizar.

4. Todos tenemos mentiras en nuestra vida que hemos interiorizado como si fueran verdad. A fin de descubrir falsas creencias, piense en las siguientes preguntas. (No descarte nada, ni siquiera las cosas aparentemente pequeñas que han ocurrido, o pasatiempos inocentes a los cuales recurre como un medio de escape.)
   - ¿Qué fracaso o trauma de su pasado todavía lo define a usted como parte de su identidad?
   - ¿A qué mecanismo escapista acude regularmente buscando seguridad?
   - Usando el lenguaje del experto en autoayuda, el doctor Phil, "¿Cómo funciona eso para usted?"

5. De acuerdo con los siguientes versículos, ¿por qué es tan importante que reconozcamos nuestra necesidad de perdón y sanidad?

   Salmo 66:18-20 ______________________________

   Isaías 30:15-16 ______________________________

   1 Juan 1:9-10 ______________________________

6. El libro de Isaías nos da muchas vislumbres del propósito de la venida de Jesús y de su ministerio. Bajo cada versículo correspondiente enumere las cosas que usted descubra.

   Isaías 42:1- 4 Isaías 61:1-3

7. Uno de los aspectos más preciosos de la obra de Dios en nuestra vida es su capacidad de redefinirnos y cambiar nuestra identidad. Utilizando los siguientes versículos escriba el nombre antiguo y el nombre nuevo, y el significado de cada uno de ellos. Luego piense en Apocalipsis 2:17 y lo que significa para usted.

   Génesis 32:24-28 — Nombre antiguo: ____________
   Nombre nuevo: ______________
   Significado: __________________

   Mateo 16:13-18 — Nombre antiguo: ____________
   Nombre nuevo: ______________
   Significado: __________________

   Apocalipsis 2:17 — Significado: __________________

8. ¿Qué le habló más a usted en este capítulo?

Capítulo Seis:
Quiten la piedra

Preguntas para discusión o reflexión

1. Quitar piedras puede ser difícil. ¿Cuál ha sido, físicamente hablando, lo más difícil que usted ha hecho (escalar una montaña, dar a luz, etc.)? Describa la experiencia.

2. Dejando de lado detalles innecesarios, cuente de alguna ocasión en que sacar un secreto a la luz destruyó el poder que él ejercía sobre usted.

Profundizando

3. Craig Groeschel dice que muchos de nosotros somos cristianos ateos, que "creemos en Dios pero vivimos como si él no existiera". ¿Puede usted ver señales de esta

contradicción en su vida, o en la vida de los cristianos en general? Dé un ejemplo (grande o pequeño), si puede. ¿Qué podríamos hacer para combatir mejor esa tendencia hacia el ateismo cristiano?

4. Lea el Salmo 91 y considere los beneficios de hacer de Dios nuestro refugio y lugar de morada, en vez de permanecer en nuestras tumbas. Haga una lista de cinco beneficios que usted aprecia; luego escoja el que signifique más para usted y escriba un corto párrafo explicando por qué.

5. Dios se salió de su camino para remover la barrera que se interponía entre él y nosotros. Busque los siguientes pasajes y llene los espacios en blanco.

   Levítico 16:2 — La barrera: ______________

   Mateo 27:50-51 — El proceso: ______________

   Hebreos 10:19-22 — El resultado: ______________

6. ¿Cuál de las "piedras" mencionadas a continuación podrían estar bloqueando el acceso de Dios a las áreas en las cuales usted necesita sanidad? Busque los versículos correspondientes y haga una paráfrasis de la parte que es su favorita, y dígasela al Señor como una oración pidiéndole que la remueva para poder ser libre. Además de estas tres, ¿puede pensar en alguna otra piedra que podría estar separándolo de Dios?

   - *Indignidad* (Romanos 4:7-8; 8:1)
   - *Renuencia a perdonar* (Efesios 4:31 – 5:2)
   - *Incredulidad* (Romanos 4:20-22)

7. Al oír a Jesús pidiéndole que quite la roca que bloquea su corazón, ¿qué significado tiene para usted la respuesta que le dio a Marta: "¿No te he dicho que si crees, verás la gloria de Dios?" (Juan 11:40). ¿Cuánto le costaría a usted hacer a

un lado la incredulidad y avanzar en su proceso de sanidad?

8. ¿Qué le habló más a usted en este capítulo?

Capítulo Siete:

Cuando el amor pronuncia su nombre

Preguntas para discusión o reflexión

1. ¿Tenía usted un apodo cuando era niño? ¿Cómo le decía su mamá cuando estaba en problemas?

2. Si hoy le hicieran a usted un examen espiritual oral, ¿cómo cree que sería el resultado? (Marque una de las respuestas.)

    ___ Excelente

    ___ Bastante bueno

    ___ Regular

    ___ Malo

    ___ Sordera incipiente

¿Escuchar la voz de Dios implica una lucha para usted? ¿Qué hace normalmente para mejorar su capacidad de oír?

Profundizando

3. Lea el pasaje de Priscila Shirer en la página 115. ¿De qué maneras ha tratado el Enemigo, en el pasado o en el presente, de convencerlo de que no puede escuchar, o no escucha la voz de Dios?

4. Elías oyó la voz de Dios en 1 Reyes 19:11-12, pero no de la manera que esperaba. ¿Qué revelan este pasaje e Isaías 30:21 acerca de la manera en que Dios tiende a hablarnos en nuestros días? ¿Por qué es tan importante la primera parte del Salmo 46:10 para mejorar nuestra capacidad de oír a Dios?

5. Mateo 7:24-27 resalta la importancia de obedecer cuando Dios habla, y advierte lo que ocurre cuando no lo hacemos. Registre las dos diferentes respuestas a las palabras del Señor que encuentre en los siguientes versículos, y el resultado en cada caso.

   Mateo 7:24-25 *Respuesta:* ______________

   Resultado: ______________

   Mateo 7:26-27 *Respuesta:* ______________

   Resultado: ______________

6. Si le es posible describa un tiempo en que el Espíritu Santo utilizó uno de los métodos siguientes para hablarle a usted: la repetición de un tema, una impresión, una confirmación, una contención espiritual, o un versículo bíblico. ¿Cómo supo que Dios le estaba hablando? (Recuérdelo, muchas veces es sólo cuando hemos obedecido que nos damos cuenta que era la voz de Dios.)

7. ¿Qué significa para usted la frase, "durante un examen el maestro siempre guarda silencio", (especialmente a la luz de la historia de Jesús y las tres mujeres que oraban, relatada en las páginas 127-128)?

8. ¿Qué le habló más a usted en este capítulo?

Capítulo Ocho:

Desatando mortajas

Preguntas para discusión y reflexión

1. Lea la historia del buen samaritano en Lucas 10:30-35. Basado en su naturaleza, si usted hubiera pasado por ese camino ese día, ¿cuál de las siguientes actitudes habría adoptado? (Yo he adornado un poco el relato.)

- El Sacerdote: vio al hombre herido y sangrante, pero siguió adelante pues estaba muy ocupado para detenerse.
- El Levita: miró más de cerca pero no creyó conveniente ayudar, así que siguió su camino.
- La madre atareada: estaba tan distraída por las riñas de sus chicos y con los mensajes de texto que ni siquiera lo notó.
- El samaritano: dejó de lado sus planes y se involucró en la situación ayudando al hombre herido.
- Otra: ______________________________

2. Lea la reflexión "Besar sapos" en la página 133-134. Se ha dicho que debemos amar a las personas cuando menos lo esperan y cuando menos lo merecen. Piense en alguna ocasión cuando alguien lo amó de esa manera, o en un momento cuando usted tuvo el privilegio de hacer tal cosa con alguien más. Describa la experiencia.

Profundizando

3. Lea 1 Juan 3:16-20 y responda las siguientes preguntas:
   - Según el versículo 16, ¿quién es nuestro ejemplo y qué fue lo que hizo?
   - ¿Qué advertencia se nos hace en el versículo 17?
   - En vez de amar "de palabra y de lengua", ¿cómo debemos amar (versículo 18)?
   - ¿Qué beneficio extraordinario (versículos 19-20) derivamos de amar de esa manera?

4. ¿Cuál de las "Lecciones del Buen Samaritano" (páginas 142-143) le habla más a usted? ¿Cuál parece plantear el mayor reto? ¿Por qué?

5. ¿Tiene usted un amigo o conocido que está luchando por

soltarse la mortaja en este preciso momento? Tome un momento para orar por él o por ella. Pregúntese qué le gustaría a Dios que hiciera usted para amar a esa persona y volverla a la vida. (Podría ser algo tan sencillo como realizar una llamada telefónica, compartir una comida, o escribir una nota de aliento.) Cualquier cosa que él ponga en su corazón, hágala sabiendo que Dios quiere amar a esa persona a través de usted.

6. Hemos discutido cómo podemos ayudar a otros a desatar sus mortajas pero, ¿qué dice Hebreos 12:1-6 acerca de desatar la nuestra? Enumere por lo menos cinco cosas que debemos hacer.

7. Lea Isaías 64:6 y Apocalipsis 3:17. ¿Cómo nos impide nuestra insistencia en vestir los "harapos" de nuestra propia justicia, experimentar verdadera sanidad y libertad? Según Apocalipsis 3:18-19, ¿qué nos aconseja Dios que hagamos?

8. ¿Qué le habló más a usted en este capítulo?

Capítulo Nueve:

La vida después de haber sido resucitado

Preguntas para discusión y reflexión

1. ¿Ha sido testigo de una transformación maravillosa en la vida de alguien que haya llegado a Cristo? Descríbala. ¿Cómo se sintió presenciándola?

2. Si le pidieran un testimonio de transformación en su vida, ¿qué diría usted? Si no puede pensar en uno, ¿hay una actitud o un comportamiento actual que le está pidiendo al Señor que cambie? Describa la diferencia que usted cree se producirá cuando este aspecto de su vida sea transformado.

Profundizando

3. Complete las siete declaraciones de Jesús cuando dijo: "Yo soy..." Encierre en un círculo la que actualmente significa más para usted, y explique por qué.

Juan 6:35	"Yo soy el ______________________"
Juan 8:12	"Yo soy la ______________________"
Juan 10:9	"Yo soy la ______________________"
Juan 10:14-15	"Yo soy el ______________________"
Juan 11:25	"Yo soy la ______________________"
Juan 14:6	"Yo soy el ______________________"
Juan 15:5	"Yo soy la ______________________"

1. Conocer al "Gran Yo Soy" (Jesús mismo) nos ayuda también a entender mejor quiénes somos. Busque en el Apéndice C: "Lo que soy en Cristo." Escoja una frase de cada una de las tres categorías y escriba el versículo correspondiente. Memorice uno en su "base de conocimiento" del Espíritu Santo.

2. Enumere tres cosas que actualmente lo "mueven a usted": que provocan su reacción extrema o le causan disgusto o temor, o ambas cosas. Ahora describa cómo considerarse muerto (Romanos 6:11) podría ayudarle a cambiar su perspectiva y lo capacitaría para decir junto con el apóstol Pablo "no estimo preciosa mi vida para mí mismo" (Hechos 20:24). Si es aplicable, mencione un momento en su vida cuando su relación con Cristo le ayudó a cambiar la reacción de su baja naturaleza.

3. Medite en Juan 15:1-8. Lea el pasaje varias veces y permita que estos versículos penetren en su corazón. Encierre con un círculo o subraye las frases que tienen un significado particular para usted. En el contexto de estos versículos, ¿cuál es la diferencia entre esforzarse por hacer algo, y

permanecer en Jesús? En la práctica, ¿cómo sería realmente en su vida eso de "permanecer"? ¿Qué tendría que cambiar?

4. Lea el secreto del servicio de George Müller en la página 162-163. Usando ese pasaje como base, escriba un obituario de usted mismo, declarando su decisión de morir para que Cristo pueda vivir.

5. ¿Qué le habló más a usted en este capítulo?

CAPÍTULO DIEZ: EL LÁZARO RISUEÑO

Preguntas para discusión y reflexión

1. ¿Ha escapado usted alguna vez de una situación en que enfrentaba un peligro de muerte? Descríbala y describa las emociones que sintió después de haber burlado la muerte. Si nunca ha experimentado algo así, describa cómo piensa que se sentiría en tal caso.

2. Lea la reflexión "Viviendo en la luz de la eternidad" en la página 181-182. ¿Qué aspecto de la vida resucitada le gustaría empezar a practicar en este momento? ¿Qué cambio en su vida le ayudaría a lograrlo?

Profundizando

3. Si usted realmente creyera que este mundo no es todo lo que hay, ¿cómo afectaría esa creencia la forma en que usted visualiza los siguientes aspectos de su vida? (Escriba su respuesta primero, y luego reflexione sobre los pasajes dados.)

   Sus finanzas:____________________________

   (Mateo 6:19-21)

Sus preocupaciones:_________________
(2 Corintios 4:17-18)
La enfermedad:____________________
(2 Corintios 12:7-9)
Las dificultades:____________________
(Santiago 1:12)
La persecución:____________________
(Juan 15:18-20)

4. ¿Cuál de los siguientes mitos ha podido descartar a medida que ha estudiado la historia de Lázaro? Escriba una x en los espacios en blanco frente a los que ha desechado, y un signo de interrogación ¿ frente a los que le gustaría desechar. Siéntase en libertad de agregar cualquier otro mito respecto al amor de Dios del cual ha llegado a ser conciente.

___Tenemos que ganar el favor de Dios
___Si Dios nos ama, nunca nos deben ocurrir cosas horribles.
___La muerte es lo peor que puede ocurrir.
___Dios está lejos cuando sufrimos.
___Los tiempos de Dios son un horror.
___La tragedia es tragedia; nada bueno puede producir.
___Otro:_______________________________.

5. ¿Qué nos dicen los siguientes versículos respecto al regreso de Cristo y la importancia de estar listos?

Lucas 12:35-37 ___________________________
1 Tesalonicenses 5:1-6 ______________________
2 Pedro 3:4, 8-14 __________________________

6. Jesús prometió que volvería para llevarnos al cielo para que estemos juntos con él (Juan 14:1-3). A la luz de esa realidad,

piense en las siguientes preguntas:

- ¿Cómo se imagina usted ese día?
- ¿Qué tan cerca de Jesús espera estar usted?
- Espiritualmente, ¿qué necesita empezar a hacer usted aquí en la tierra para que cuando ese día llegue, pueda ser conocido allá como es conocido aquí (1 Corintios 13:12)?

7. Mirando en retrospectiva su jornada a través de este libro, ¿qué concepto ha hecho en usted el mayor impacto? ¿De qué manera ha cambiado la forma en que piensa o vive, especialmente en cuanto a dudar del amor?

Cómo usar este estudio en un formato de ocho semanas

Como lo mencioné al comienzo de esta guía, usted encontrará más recursos de estudio bíblico en mi página de Internet: www.joannaweaverbooks.com. Las secciones "Profundizando" y "Ayudas para el Estudio del Libro" incluye una guía que se puede reproducir en un formato de texto de estudio, y una guía para el líder. Cuando haya finalizado su estudio, por favor visite nuestra página y comparta las ideas que le dieron resultado. ¡Estaré esperando por ellas!

Apéndice C

Lo que soy en Cristo

Desde que Adán y Eva comieron del fruto prohibido, la humanidad ha luchado con una crisis de identidad. Hemos olvidado lo que realmente somos: elegidos y amados hijos e hijas de Dios. Considere la siguiente lista de versículos del maravilloso devocional *One Day at a Time* [Un Día a la Vez].[1]

Soy aceptado

Juan 1:12	Soy hijo de Dios
Juan 15:15	Soy amigo de Cristo
Romanos 5:1	He sido justificado
1 Corintios 6:17	Estoy unido con el Señor, y soy un espíritu con él.
1 Corintios 6:20	He sido comprado por precio. Pertenezco a Dios.
1 Corintios 12:27	Soy miembro del cuerpo de Cristo.
Efesios 1:1	Soy santo.
Efesios 1:5	He sido adoptado como hijo de Dios.
Efesios 2:18	Tengo acceso directo a Dios a través del Espíritu Santo.

Colosenses 1:14	He sido redimido y todos mis pecados han sido perdonados.
Colosenses 2:10	Estoy completo en Cristo.

Estoy seguro

Romanos 8:1-2	Estoy libre de condenación.
Romanos 8:28	Tengo la seguridad de que todas las cosas obran para mi bien.
Romanos 8:31-34	Soy libre de toda condenación y de todo cargo contra mí.
Romanos 8:35-39	No puedo ser separado del amor de Dios.
2 Corintios 1:21-22	He sido confirmado, ungido y sellado por Dios.
Colosenses 3:3	Estoy escondido con Cristo en Dios.
Filipenses 1:6	Estoy persuadido de que el que comenzó en mí la buena obra, la perfeccionará.
Filipenses 3:20	Soy ciudadano de los cielos.
2 Timoteo 1:7	No me ha dado Dios espíritu de cobardía, sino de poder, de amor, y de dominio propio.
Hebreos 4:16	Puedo alcanzar misericordia y hallar gracia en tiempo de necesidad.
1 Juan 5:18	Soy nacido de Dios y el diablo no puede tocarme.

Soy importante

Mateo 5:13-14	Soy la sal y la luz de la tierra.
Juan 15:1, 5	Soy pámpano de la vid verdadera, un canal de su vida.
Juan 15:16	He sido elegido y puesto aquí para producir fruto.
Hechos 1:8	Soy testigo personal de Cristo.
1 Corintios 3:16	Soy templo de Dios.
2 Corintios 5:17-21	Soy ministro de Dios para la reconciliación.
2 Corintios 6:1	Soy colaborador de Dios (ver 1 Corintios 3:9).
Efesios 2:6	Estoy sentado en lugares celestiales.
Efesios 2:10	Soy hechura de Dios.
Efesios 3:12	Me acerco a Dios con libertad y confianza.
Filipenses 4:13	Todo lo puedo en Cristo que me fortalece.

Apéndice D

Identifiquemos las fortalezas

Recuerde que una fortaleza puede ser una herida, un hábito o un complejo que nos mantiene en la tumba, incapaces de vivir en libertad y a plenitud. Las fortalezas pueden incluir falsas creencias, actitudes establecidas, patrones de comportamiento compulsivos y adicciones. Algunos son inherentemente dañinos (como fumar), mientras que otros se convierten en problema si llegan a arraigarse en su vida y coartan su libertad. Las siguientes preguntas quizá le ayuden a reconocer tumbas que lo están acorralando, encerrando y confinando:

1. *¿Lucha con un "comportamiento repetido no deseado"?*[1] Quizás hace cosas que no quiere hacer, o lucha con patrones de pensamiento destructivos o negativos. Este comportamiento está tan arraigado que es casi una segunda naturaleza, aunque usted sabe que no es correcto. Puede ser cualquier cosa, ira pereza crónica, reacciones violentas, mentira habitual, por nombrar sólo unas cuantas.
2. *¿Tiende a regresar a este comportamiento o patrón de pensamiento cuando las cosas se ponen difíciles o cuando se siente deprimido?* Quizá le ofrece una fuerte (pero falsa) sensación de comodidad e inicialmente lo hace sentir mejor, aunque sabe que no es buena para usted. Ya sea la compulsión de comprar, el escapismo mental a través de la televisión, la lectura o Internet; el exceso de comida, la pornografía, el alcohol, u otra cosa, su primer impulso cuando está en problemas es acudir a esta compulsión en vez de acudir a Dios.
3. *¿Se le hace difícil entender por qué reacciona de la manera*

que lo hace ante ciertas cosas? Ciertas experiencias provocan en usted reacciones exageradas que no están acorde con la situación. Lo fuerte de la emoción lo sorprende incluso a usted mismo, pero parece que no lo puede evitar. Tenga cuidado con tendencias hacia la represalia verbal, la ira y la actitud defensiva exageradas, la paranoia o el odio a sí mismo.

4. *¿Tiene usted un secreto que nadie más conoce?* Una vergüenza en su pasado, o un "asunto de familia", del cual le advirtieron que no debía hablar, lo puede perseguir en la vida presente e impedirle relacionarse con la gente de manera significativa. Los secretos y la vergüenza pueden llevarlo a la parálisis emocional, a la timidez, el aislamiento, la suspicacia, a una actitud camaleónica, o a la teatralidad en reemplazo del comportamiento real.
5. *¿Se encuentra estancado en algún punto de su pasado, o atascado en el proceso de la pena?* Tal vez anhela regresar a cierto momento de su vida o revive continuamente un acontecimiento doloroso. Quizá en su interior hierve el rencor por una injusticia de hace tiempo, o se siente paralizado por la pena de una pérdida importante. No hay nada malo con sentir un poco de nostalgia, y un cierto período para sanar después de sufrir un trauma o una pérdida es algo normal y necesario. Pero sentimientos permanentes y no resueltos acerca del pasado pueden convertirse finalmente en fortalezas.
6. *¿Tiene usted una intensa antipatía sin motivo por un cierto tipo o grupo de personas: Hombres o mujeres, liberales o conservadores, musulmanes, judíos, noruegos, personas con tatuajes?* Cualquier contacto con el grupo, o simplemente pensar en ellos, le hace sentir incomodidad, temor, enojo, e incluso odio. Hacer juicios generalizados o suposiciones sobre individuos miembros de esos grupos, sin llegar a conocerlos realmente, es una señal reveladora.
7. *¿Acepta que sus limitaciones lo definan?* Podría significar que usted ha permitido que frases menospreciadoras del

pasado lo definan: "No soy tan atlético… o talentoso…" "Probablemente no lograré nada…" Quizá usa frecuentemente la excusa: "Yo soy así" para desviar la culpa o la responsabilidad de su comportamiento o sus reacciones: "Siempre me salgo de casillas porque soy… italiano… o griego… o irlandés," "En nuestra familia no somos sentimentalistas."

8. *¿Se siente ofendido cuando otras personas le señalan comportamientos negativos en usted?* Una actitud defensiva es generalmente una señal de que nos han dicho algún tipo de verdad. Si más de una persona sugiere que usted tiene un problema, tiene sentido escucharlos aun cuando esté seguro de que están equivocados. No subestime la capacidad de la negación para mantenerlo esclavizado. Pídale a Dios que le ayude a ver lo que necesita ver. Si se siente aludido por algunas de las preguntas anteriores, el primer paso para encontrar libertad es llevar la situación delante de Dios. A continuación, algunas sugerencias sobre la manera en que puede hacerlo:

- Déle permiso al Señor para que alumbre su alma con el reflector de su Espíritu Santo.
- Siga el lineamiento Revelación / Arrepentimiento / Renuncia / Reemplazo / sugerido en la reflexión "Destronando las mentiras", que se encuentra en las páginas 86-87.
- Pídale a Dios que le muestre lo que usted debe hacer de inmediato para vivir en libertad. No olvide tratar con las mentiras de carencia de valor, con la renuencia a perdonar y con la incredulidad, las cuales pueden ser parte de la causa de su esclavitud.
- Permítale al Espíritu Santo dirigir su camino mientras busca consejo adicional, apoyo en oración, y tal vez un grupo de recuperación que discuta su necesidad específica.

Apéndice E

Sugerencias para desatar mortajas

Mientras que Dios es el único que puede "resucitar" a las personas, él nos llama *para que le ayudemos a amarlas y a traerlas de nuevo a la vida*. Aunque el capítulo 8 ya cubrió mucha información sobre cómo desatar mortajas, aquí vienen unas ideas extras que yo he compilado a través de los años:

1. *Esté disponible (Mateo 9:36).* Pida a Dios que le ayude a ver lo que él ve, y saber dónde quisiera él que usted participe en su obra. Cuando identifique una necesidad, pida al Señor que le muestre cómo quiere que se involucre. A veces lo único que se espera de usted es que ore. Pero cuando el Espíritu Santo lo impulse a involucrarse en la situación, no retroceda.
2. *Ore específicamente por lo que Dios lo está instando a hacer (Isaías 30:21).* Ya sea que implique tomar una hora para escuchar, o una continua inversión de tiempo y recursos, lo que se sienta impulsado a hacer, hágalo. Pero revise también los motivos que lo impulsan a actuar. Tenga siempre en mente que la obra es de Dios, y que usted está allí sencillamente para hacer lo que él le diga.
3. *Escuche la historia de la persona (Gálatas 6:2).* Con mucha frecuencia actuamos basados en falsas suposiciones. Pídale a la persona que le cuente su historia, y haga preguntas pertinentes que ayuden a avanzar el proceso. A menudo solamente cuando sabemos en dónde ha estado la persona, estamos en capacidad de ayudarle a llegar a donde debe estar, y el sólo hecho de escucharla produce sanidad. Al mismo tiempo no permita que un drama emocional lo absorba y se olvide de permitir que sea Dios el que obre.

4. *Sea confiable (Proverbios 11:13).* Cuando una persona le cuente algo en confianza, no lo cuente a otros sin permiso, ni siquiera en peticiones de oración, vagas o generalizadas, o sin mencionar nombres. Sea un refugio en el cual otras personas puedan aprender a confiar y a expresar lo que hay en su corazón. (Nota: la única excepción a la regla de la confidencialidad es en casos de abuso, de peligro inminente, o de tendencias suicidas. Estas se deben informar, pero hágale saber a la persona que usted lo va a hacer.)
5. *Invite a Jesús a participar en la interacción (Santiago 5:16).* Hágalo con cuidado y sensibilidad pues algunos han sido heridos en el pasado por personas religiosas. (Es triste, pero ocurre.) Busque maneras de mencionar a Jesús y su amor en la conversación, sin adoptar maneras juzgadoras o condenadoras. Ore con la persona a quien está ayudando y preséntele a Dios cada una de sus necesidades. Con gentileza anímela a establecer una relación personal con Dios, y a acudir a él en primer lugar con sus necesidades.
6. *Pídale a Dios sabiduría (Colosenses 1:9).* Que la Biblia sea su guía. No aconseje basándose solamente en su propia experiencia, su opinión, o su sesgada visión personal, o dará consejos no apropiados. Pídale al Espíritu Santo el don de fe para poder ver lo que la persona puede llegar a ser, y así ministrará partiendo de la esperanza y no de lo contrario. Encuentre promesas bíblicas para orar y declarar con confianza acerca de la vida de esa persona. Pídale al Señor que lo guíe a recursos útiles que le pueda compartir.
7. *Hable la verdad con amor (Efesios 4:15).* Alguien dijo: "El amor sin la verdad es adulación, pero la verdad sin amor es crueldad." Pídale a Dios que le dé amor genuino por la persona a la cual ministra. Háblele a menudo palabras de afirmación señalándole las cualidades que hay en ella y elogiando el progreso que haya hecho. Pero no tema señalar amablemente las inconsistencias entre la vida de la persona, y la Palabra de Dios. Hágalo con humildad y amabilidad, sabiendo que la verdad nos hace libres.

8. *Abra espacio para que otros también ayuden (Proverbios 15:22).* Raras veces somos los únicos a quien Dios utiliza en las vidas de otras personas. Él también ha puesto a ciertas personas, padres, cónyuges, pastores, para proveer tanto autoridad como protección espiritual. Honre y apoye tales "coberturas" cuando ello sea apropiado. Esté dispuesto a menguar para que la influencia de otros pueda crecer. Si siente que la persona a quien ayuda está desarrollando una dependencia exagerada de usted, hágaselo saber con amabilidad, y lentamente dé un paso atrás para que Dios pueda intervenir. Y no se sienta ofendido si su tiempo o participación en la vida de alguien llega a su fin antes de lo que usted esperaba.
9. *Recuerde que las mortajas están compuestas de capas (Gálatas 6:9-10).* La libertad no llega de manera repentina. Es un proceso de sanidad que usted está presenciando, no un acontecimiento. No le dé cabida a la suspicacia o a la frustración cuando parezca que toma más tiempo del que debería, o cuando al tratar con un problema reaparece en otra forma. Anímese usted y a la persona a quien ministra con la seguridad de que Dios será fiel en terminar lo que ha comenzado. Nosotros sencillamente debemos cooperar quitando capa por capa, una capa a la vez.
10. *Por sobre todo, confíe en Dios (Hebreos 12:12).* La sanidad duradera es obra de Dios, y él sabe realizarla qa muy bien. Confíe que el Espíritu Santo está obrando en el corazón de la persona que necesita libertad, y permítale que obre a su manera en usted también. Esté dispuesto a hacer lo que Dios le pida, cuando se lo pida, y luego encomiende a la persona a su amor y su cuidado. Actúe basado en la fe, no en el temor. ¡Y observe lo que Dios hará!

Notas

Epígrafe

[1] Citado en Dan Clendenin, "Ancient Wisdom for the Modern World: My New Year's Resolutions with Help from the Desert Monastics," *Journey with Jesus,* Enero 1, 2006 www.journeywithjesus.net/Essays/20051226JJ.shtml. Adaptado de la traducción de John Chryssavgis de *In the Heart of the Desert: The Spirituality of the Desert Fathers and Mothers,* rev. Ed. (Bloomington, IN: World Wisdom, 2008), 1.

Capítulo Uno: Historia del tercer seguidor

[1] Anna B. Warner, "Jesús Loves Me," publicado primero en Say and Seal, de Anna B. Warner y Susan Warner (Filadelfia: Lippincot, 1860), 115-116.

[2] Para tener la historia completa de María y Marta, y la forma en que creció su relación con Jesús, ver *Como tener un corazón de María en un mundo de Marta,* (2004; Buenos Aires, Argentina: Editorial Peniel) y *Un espíritu como el de María,* (2007; Lake Mary, FL: Casa Creación).

[3] Bono en Michka Assayas, *Bono: In Conversation with Michka Assayas* (New York: Penguin, Berkley 2006), 225.

[4] Bono, in Assayas, *Bono: In Conversation,* 226.

[5] Para una ilustradora discusión de la tendencia hacia "will worship" ver el libro de Richard J. Foster, *Celebration of Discipline: The Path to Spiritual Growth,* (1978, Ed rev, San Francisco: HarperSanFrancisco, 1988) 5-6.

Capítulo Dos: Señor, el que amas está enfermo

[1] Al comentar sobre el tiempo de la resurrección de Lázaro, Warren Wiersbe afirma: "Jesús estaba en Betábara, como a treinta y dos kilómetros de distancia de Betania... Si el mensajero viajó con rapidez y sin ninguna demora, pudo haber hecho el viaje en un día. Jesús lo envió de regreso al día siguiente... Luego Jesús esperó dos días más... y para el momento en que él y sus discípulos llegaron, Lázaro había estado muerto por cuatro días. Eso significa que Lázaro murió el mismo día en que el mensajero salió para contactar a Jesús." Warren Wiersbe, en *Be Alive,* (Colorado Springs, CO: David C. Cook, 1981), 132.
[2] De acuerdo con las notas en la NIV Study Bible, en Juan 9:2: "Los Rabíes habían desarrollado un principio que establecía que `No hay muerte sin

pecado, y no hay sufrimiento sin iniquidad'. Incluso eran capaces de pensar que un niño podía pecar en el vientre materno, o que su alma podría haber pecado en un estado de existencia previa. También creían que castigos terribles podrían venir sobre ciertas personas por causa del pecado de sus padres. Como lo muestra el versículo siguiente (Juan 9:3), Jesús contradijo abiertamente estas creencias." Kenneth L. Baker, ed., *The NIV Study Bible*, 10th anniversary ed. (Grand Rapids: Zondervan, 1995).

[3] Jerry Goebel, "Unbind Him and Let Him Go!" ONE Family Outreach, 3/13, 2005, http://onefamilyoutreach.com/bible/John/jn_11_01_-45.htm.

[4] Adaptado de Rosalind Goforth, *Climbing: Memories of a Missionary's Wife*, 2nd ed. (1940; reír., Elkhart, IN: Bethel, 1996), 80.

[5] *Steps to Peace with God*, (Charlotte, NC: Billy Graham Evangelistic Association, n.d), wwwbillygraham.org/specialsections/steps-to-peace/steps-to-peace.asp.

[6] Después de mucho estudio he llegado a creer que somos seres compuestos por tres partes a las cuales se refiere Pablo en 1 Tesalonicenses 5:23: "Y el mismo Dios de paz os santifique por completo; y todo vuestro ser, espíritu, alma y cuerpo, sea guardado irreprensible para la venida de nuestro Señor Jesucristo." El "cuerpo" es la caparazón en que habitamos; el "alma" es la mente, la voluntad y las emociones; y el "espíritu" es el elemento que cobra vida cuando Cristo hace su residencia dentro de nosotros, al ser salvos. Para una discusión más profunda sobre este tema y la razón por la cual yo creo que la distinción es importante, ver mi libro *Cómo tener un espíritu como el de María*, empezando con el capítulo 2.

[7] Citado por Dale Fincher en "A Slice of Infinity: What Do You Expect? Part 5", Ravi Zacharias International Ministries, Enero 30, 2004, www.rzim.org/resources/read/asliceofinfinity/todaysslice.aspx?aid=8420.

[8] Citado por John Eldredge en *El despertar de los muertos: La gloria de un corazón que vive a plenitud*, (Nashville: Grupo Nelson, 2004).

Capítulo Tres: Nuestro Amigo Lázaro

[1] James Strong, *The New Strong's Exhaustive Concordance of the Bible*, (Nashville: Thomas Nelson, 1996), s.v. "#1690".

[2] David Giles, *Illusions of Immortality: A Psychology of Fame and Celebrity*, (London: Macmillan, 2000), 95.

[3] Giles, *Illusions of Immortality*, 95

[4] Francis Chan, *Crazy Love: Overwhelmed by a Relentless God*, (Colorado Springs, CO: David C. Cook, 2008), 110-11.

[5] Gene Edwards, *The Divine Romance*, (1984; repr., Wheaton, IL: Tyndale, 1992), 63-64.

[6] Max Lucado, *God Came Near*, (1986; repr., Nashville: Thomas Nelson, 2004), 56.

[7] Spiros Zodhiates, gen. Ed., *The Complete Word Study Dictionary: New Testament*, rev. Ed. (Chattanooga, TN: AMG Intl., 1993), s.v. "#2083".

[8] Zodhiates, *Complete Word Study Dictionary*, s.v. "#2083".

[9] Zodhiates, *Complete Word Study Dictionary*, s.v. "#2083".

[10] Zodhiates, *Complete Word Study Dictionary*, s.v. "#2083".

[11] C. H. Spurgeon, "The Friend of God" The Homiletic Review, vol. 14, no. 1 (julio-diciembre 1887), 157.

[12] George Müller a J. Hudson Taylor, en Dr. and Mrs Howard Taylor, *Hudson Taylor's Spiritual Secret*, Moody Classics ed. (Chicago: Moody, 2009), 152-153.

[13] Joseph C. Ludgate, "Friendship with Jesus" in *Hymns of Glorious Praise*, Springfield, MO: Gospel Publishing, 1969), 338.

Capítulo Cuatro: Cuando el amor se tarda

[1] *Dark Night of the Soul*, fue originalmente el título de un poema y de un comentario adjunto, por el fraile Carmelita y místico español San Juan de la Cruz (1542-1591).

[2] Brian Jones, *Second Guessing God: Hanging On When You Can't See His Plan*, (Cincinnati, OH: Standard Publishing, 2006), 13.

[3] Jones, *Second Guessing God*, 15.

[4] Jones, *Second Guessing God*, 15.

[5] Jones, *Second Guessing God*, 15.

[6] Pastor Don Burleson, "Big T-Truth" (sermon, New covenant Fellowship, Kalispell, MT, June 8, 2008).

[7] Warren Wiersbe, *The Wiersbe Bible Commentary: Old Testament*, 2nd ed. (Colorado Springs, CO: David C. Cook, 2007), 755. Él énfasis en las Escrituras y el formato son míos.

[8] Charles H. Spurgeon, "A Mystery! Saints Sorrowing and Jesus Glad!" (Sermón Nº 585, Metropolitan Tabernacle, Newington, England, agosto 7, 1864), citado en *Spurgeon's Sermons*, vol. 10: 1864, Christian Clásics, Ethereal,Library,http://153.106.5.3/ccel/spurgeon/sermons10.xviii.html.

[9] Según las notas de la *NIV Study Bible*, en Juan 11:17: "Muchos judíos creían que el alma permanecía cerca del cuerpo por tres días después de la muerte con la esperanza de regresar a él. Si esta idea estaba en la mente de estas personas, obviamente pensaron que toda esperanza estaba perdida y que Lázaro estaba irremediablemente muerto." Kenneth L. Barrer, ed., *The NIV Study Bible*, 10º aniversario ed. (Grand Rapids: Zondervan, 1995).

[10] Jerry Goebel,"Unbind Him and Let Him Go!" ONE Family Outreach, 3/13/2005, http://onefamilyoutreach.com/bible/John/jn_11_01_-45.htm.

[11] Tal vez usted, como yo, se ha preguntado qué quiso decir Jesús cuando respondiendo a la inquietud de sus discípulos en cuanto a regresar a Betania, comentó: "¿No tiene el día doce horas?" (Juan 11:9). Ray Stedman dice: "Él se refería al cronograma señalado por Dios... él estaba decidido a caminar en la luz de la voluntad de Dios. Salirse de ese cronograma, incluso si hacerlo pudiera parecer más seguro según el razonamiento humano, hubiera sido equivalente a caminar en la noche. Hubiera llevado a tropezar... Dios ha establecido un tiempo para cada uno de nosotros, y... no hay nada que alguien pueda hacer para acortarlo, ni cosa alguna que podamos hacer para alargarlo. Nuestros tiempos están en las manos de Dios." Ray C. Stedman con James D. Denney, *God's Living Word: Exploring the Gospel of John*, (Grand Rapids: Discovery House, 1993), 298.

[12] Escuché por primera vez la historia de David en la grabación de una conferencia que él había dictado. Entonces lo contacté y recibí de él tanto la confirmación de la autenticidad del material como su permiso para usarlo. Para tener mayor información sobre David Ring y sus ministerio, visite su página en Internet: www.davidring.org

[13] No es su nombre real.

[14] Gracias a Marta Tennison por esta frase que oí en un sermón predicado en Billings, Montana, 24 de septiembre de 1999.

Capítulo Cinco: Morando en los sepulcros

[1] [Mathew] Henry and [Thomas] Scout, *A Commentary Upon the Holy Bible, Mathew to Acts* (London: Religious Tract Society, 1835), 54 n. 28.

[2] "Bethany: Meeting Place for Friends", Franciscan Cyberspot, http://198.62.74.1www1/ofm/san/BET09mod.html.

[3] "The Ossuary of James" The Nazarene Way, www.thenazareneway.com/ossuary_of_james.htm.

[4] Aunque la frase "hurts, hang-ups, and habits" fue acuñada por Rick Warren y John E. Baker y utilizada ampliamente por la Organización Celebrate Recovery, las descripciones de los tres tipos de fortalezas son míos.

[5] Esta descripción fue tomada de *Celebrate Recovery® Leader's Guide*, updated ed. (Grand Rapids: Zondervan, 2005), 56.

[6] Esta información fue recolectada mediante una encuesta de cuatro años (todavía en curso) realizada en más de 200 iglesias por REVEAL®; investigación y estrategia bajo los auspicios de Willow Creek Association Ministry. Véase el libro de Greg Hawkins and Cally Parkinson, *Follow Me: What's Next for You*, (South Barrington, IL: Willow Creek Resources, 2008), 100.

[7] Spiros Zodhiates, gen. Ed., *The Complete Word Study Dictionary: New Testament,* rev. Ed. (Chattanooga, TN: AMG International, 1993), s.v. "#3415" y "#3418".

[8] Rick Renner, *Sparkling Gems from the Greek: 365 Greek Word Studies for Every Day of the Year to Sharpen Your Understanding of God's Word,* (Tulsa, OK: Teach All Nations, 2003), 74.

Capítulo Seis: Quiten la piedra

[1] En realidad este es el subtítulo del excelente libro de Groeschel, *The Christian Atheist: Believing in God but Living As If He Doesn't Exist,* (Grand Rapids: Zondervan, 2010).

[2] Joyce Meyer, *Battlefield of the Mind: Winning the Battle in Your Mind,* (1995; reír., New York: Warner Faith, 2002), 12.

[3] Ann Spangler, *The Tender Words of God: A Daily Guide,* (Grand Rapids: Zondervan, 2008), 13.

[4] Spangler, *The Tender Words of God:,* 15-16.

[5] Spangler, *The Tender Words of God:,*14.

[6] Kenneth Wuest, *Wuest's Word Studies from the Greek New Testament,* vol. 2 (Grand Rapids: Eerdmans, 1973), 121.

[7] La palabra griega *dunamis* es utilizada en la Biblia para describir el "milagroso poder" de Dios. (Véase *The New Strong's Exhaustive Concordance of the Bible,* (Nashville: Thomas Nelson, 1996), s.v. "1411, dunamis". También es la raíz de la palabra dinamita en español. Ver "Word History" *American Heritage Dictionary of the English Language,* 4th ed., s.v. "dynamite", http://dictionary.reference.com/browse/dynamite.

'apítulo siete: Cuando el amor pronuncia su nombre

[1] Esta frase está inspirada en el gran himno "Come Thou Fount of Every Blessing," cuyas palabras fueron escritas por Robert Robinson en 1758. Para leer la historia de cómo fue escrito, véase "Come Thou Fount of Every Blessing" Center for Church Music songs and Hymns, http://songsandhymns.org/hymns/detail/come-thou-fount-of-every-blessing.

[2] Priscilla Shirer, *Discerning the Voice of God: How to Recognize When God Speaks,* (Chicago: Moody, 2007), 14.

[3] Philip Yancey, *Grace Notes: Daily Readings with a Fellow Pilgrim,* (Gand Rapids: Zondervan, 2009), 168.

[4] Ken Gire, *Reflections on Your Life Journal: Discerning God's Voice in the Everyday Moments of Life,* (Colorado Springs, CO: Chariot Victor, 1998), 11-12.

[5] Brother Lawrence (ca. 1614-1691) fue un hermano Carmelita Francés cuya sencillez y gran sabiduría inspiró a muchos durante su vida. Tras la muerte del hermano Lawrence, el Padre Joseph de Beaufort compiló sus cartas y conversaciones en un libro titulado *La práctica de la presencia de Dios*, (Whitaker House; 1997) considerado en nuestro tiempo un clásico cristiano. Ver la "Biography of Brother Lawrence" Christian Classics Ethereal Library, www.ccel.org/l/Lawrence.

[6] Para mayor información acerca de la práctica de llevar un diario, ver mi libro *Como tener un corazón de María en un mundo de Marta*, (2004; Buenos Aires, Argentina: Editorial Peniel) capítulo 5 y Apéndice D.

[7] Un agradecimiento especial a Marla Campbell, quien compartió este pensamiento conmigo hace muchos años.

[8] Shirer, *Discerning the Voice of God*, 184.

[9] Oswald Chambers, *My Utmost for His Highest: The Golden Book of Oswald Chambers, Selections for the Year*, 1935; repr; Westwood, NJ: Barbour, 1963), January 30.

[10] Gracias a Dianne Freitag por esta frase que compartió conmigo en una conversación personal.

[11] Mrs Charles [Lettie B.] Cowman, *Manantiales en el desierto* (Miami, FL: Editorial Vida, 1996).

[12] Cowman, *Manantiales en el desierto, 9 de febrero.*

Capítulo Ocho: Desatando Mortajas

[1] Henri M. Grout, "The Good Samaritan" in the Monday Club, *Sermons on the International Sunday-School Lessons for 1881*, Sixth Series (New York: Thomas Y. Crowell, 1880), 151-2. Nota: Este pasaje parece ser un resumen de las ideas que se encuentran en el sermón de Charles H. Spurgeon, titulado "El Buen Samaritano", sermón Nº 1360 (predicado en el Tabernáculo Metropolitano, en Newington, Inglaterra, en junio 17 de 1877), www.spurgeongems.org/vols22-24/chs1360.pdf.

[2] David O. Mears, "The Good Samaritan" in the Monday Club, *Sermons on the International Sunday-School Lessons for 1878,* (Boston: Henri Hoyt, 1878), 303

[3] Wes Seeliger, *Faith at Work,* February 1972, 13, citado por Bruce Larson, *Ask Me to Dance*, (Waco, TX: Word Books, 1972, 11-12.

[4] Jerry Goebel, "Unbind Him and Let Him Go!" ONEFamily Outreach, marzo 13, 2005, http://onefamilyoutreach.com/bible/John/jn_11_01_-45.htm

[5] Goebel, "Unbind Him."

[6] Goebel, "Unbind Him."

[7] Gracias al Pastor Danny Stephenson for este pensamiento.

[8] Kathryn Spink, *Mother Teresa: A Complete Authorized Biografía* (San Francisco: HarperSanFrancisco, 1997), 245.

[9] No es su nombre real.

[10] Mrs Charles [Lettie B.] Cowman, *Manantiales en el desierto* (Miami, FL: Editorial Vida, 1996).

[11] Oswald Chambers, *My Utmost for His Highest: The Golden Book of Oswald Chambers, Selections for the Year* 1935; repr; Westwood, NJ: Barbour, 1963), marzo 24.

[12] Frank E. Peretti, *Piercing the Darkness*, (Westchester, IL: Crossway Books, 1989).

[13] Beth Moore, *Further Still: A Collection of Poetry and Vignettes*, (Nashville: Broadman Holman, 2004), 99-104.

[14] Warren Wiersbe, *The Wiersbe Bible Commentary: New Testament*, 2nd ed. (Colorado Springs, CO: David C. Cook, 2007), 862.

Capítulo Nueve: La vida después de habar sido resucitado

[1] Historia relatada por V. Raymond Edman en *They Found the Secret: Twenty Transformed Lives That Reveal a Touch of Eternity*, (1960; uar., Grand Rapids: Zondervan, 1984), 17-22. Esta cita particular se encuentra en la página 18.

[2] Edman, *They Found the Secret*, 19.

[3] Edman, *They Found the Secret*, 19.

[4] Edman, *They Found the Secret*, 17.

[5] Edman, *They Found the Secret*, 17.

[6] Hanna Whitall Smith, *The Unselfishness of God* (1903; Repr., Princeton NJ: Littlebrook, 1987), 193.

[7] Julie Thompson, "Lazarus" in Charles May, ed., *Masterplots II: Short Stry Series, rev. ed.* (Pasadena CA: Salem Press, 2004), Enotes.com, 2006, www.enotes.com/lazarus-leonid-andreyev-salem/lazarus-9620000246.

[8] Wendell Berry, citado por Eugene H. Peterson en *Living the Resurrection: The Risen Christ in Everyday Life* (Colorado springs, CO: NavPress, 2006),13.

[9] Ver mi libro *Cómo tener un espíritu como el de María,* Lake Mary, FL: Casa Creación, 2007), capítulos 3 y 5.

[10] W. Ian Thomas *The Indwelling Life of Christ*, (Sisters, OR: Multnomah, 2006), 151-52.

[11] Thomas, *The Indwelling Life of Christ*, 127.

[12] Arthur T. Pierson, *George Müller of Bristol* (1899); repr; Grand Rapids: Hendrickson, 2008), 383 (énfasis agregado).

Capítulo Diez: El Lázaro risueño

[1] La historia de la señora Winchester y los detalles acerca de la casa se encuentran en "Sarah Winchester: Woman of Mystery" and "Winchester Mystery House, Beautiful But Bizarre," Winchester Mystery House, www.winchestermysteryhouse.com/SarahWinchester.cfm y www.winchestermysteryhouse.com/thehouse.cfm. La cita al final de este párrafo es de Vernon Grounds "An Inevitable Appointment", *Our Daily Bread,* abril 2, 1994, http://odb.org/1994/04/02an-inevitable-appointment/.

[2] Woody Allen, "Afraid Quotes" Said What? www.saidwhat.co.uk/keywordquotes/afraid.

[3] "Al-Eizariya", Serving History: World History Served Up Daily, www.servinghistory.com/topics/Al-Eizariya. (Al-Eizariya significa "el lugar de Lázaro".)

[4] "Church of Ayios, Lazaros Larnaca", Serving History: World History Served Up Daily, www.servinghistory.com/topics/Church_of_Ayios,_Lazaros_Larnaca.

[5] La tradición ortodoxa oriental afirma que después de su resurrección, Lázaro huyó a Chipre para escapar de la persecución; que fue ordenado por Pablo y Bernabé como el primer obispo de Kition (ahora Larnarca), y que murió allí treinta años después. Otra tradición, ya desmentida, sostiene que Lázaro huyó con sus hermanas a Provenza, que llegó a ser obispo de Marsella, y que fue martirizado y sepultado en lo que hoy es Francia. Ver el escrito de Demetrios Serfes titulado "St. Lazarus the Friend of Christ and First Bishop of Kition, Chipre", Lives of the Saints, www.serfes.org/lives/stlazarus.htm and León Clugnet, "St Lazarus of Bethany, *The Catholic Enciclopedia,* vol. 9 (New York: Robert Appleton Company, 1919) www.newadvent.org/cathen/09097a.htm.

[6] Ray C. Stedman con James D. Denney, *God's Loving Word: Exploring the Gospel of John,* (Grand Rapids: Discovery House, 1993), 300.

[7] John Claypool, "Easter and the Fear of Death," (programa # 3030, Chicago Sunday Evening Club, Abril 19 de 1987), 30 Good Minutes, www.csec.org//csec/sermon/claypool_3030.htm.

[8] Mark Buchanan, *Things Unseen,* (Sisters, OR: Multnomah, 2002), 43.

[9] Marshall Shelley, "Two Minutes to Eternity" in *Christianity Today,* mayo 16, 1994, 25-7, citado por Buchanan en Things Uncen, 43-44.

[10] Elizabeth Elliot, *Keep a Quiet Heart,* (Ann Arbor, MI: Servant, 1995), 28.

[11] Demetrios Serfes, "St Lazarus the Friend of Christ and First Bishop of Kition, Cyprus, www.serfes.org/lives/stlazarus.htm.

Apéndice B: Guía de Estudio

[1] June Shaputis, "Funny Stones to Tickle Your Funny Bones" www.webpanda.com/ponder/epitaphs.htm.

[2] Frederick Lehman, "The Love of God," 1917. Lehman escribió este himno en Pasadena, California, el cual fue publicado por primera vez en *Songs That Are Different*, vol. 2 (1919). La letra está basada en el poema judío "Haddamut", escrito en Arameo en el año 1050 por Meir Ben Isaac Nehorai, cantor de Works, Alemania. Éstos han sido traducidos por lo menos a dieciocho idiomas. Ver www,cyberhymnal.org/htm/l/o/loveofgo.htm. (La versión en Español fue tomada de Internet: www.lyricstranslate.com/en/love-god-%C2%A1oh-amor-de-dios.html. Acceso 21 de marzo de 2013)

Apéndice C: Lo que soy en Cristo

[1] De *One Day at a Time: The Devotional for Overcomers*, por Neil T. Anderson y Mike y Julia Quarles, derechos reservados en el 2000. Usado con el permiso de Regal Books, una división de Gospel Light Publications. Todos los derechos reservados.

Apéndice D: Identifiquemos las fortalezas

[1] Brian Tome, *Free Book* (Nashville: Thomas Nelson 2010). El capítulo del escritor Tome, sobre las fortalezas, ha servido como trampolín para algunos de los elementos de esta lista, pero las descripciones y aplicaciones específicas, son mías.

Querido lector:

Al finalizar este libro estoy asombrada de cuántas cosas más Dios quiere comunicar a mi corazón. Sigo descubriendo nuevas facetas de la historia de Lázaro: ideas y matices de significado que pueden cambiar nuestra vida y ayudarnos a encontrar nuestro lugar en el corazón de Dios si les permitimos que lo hagan.

Oro para que el Espíritu Santo tome mis limitadas palabras, línea tras línea, e inspire nueva revelación a su corazón con un mensaje que satisfaga su necesidad particular, y que le ayude a morir a sí mismo diariamente para que viva Jesús en usted.

Qué maravillosa aventura y privilegio es vivir para Dios. Estoy tan agradecida de tener la oportunidad de compartir con usted esta parte de nuestra vida. Mi oración es que Dios termine la obra que comenzó en usted cuando lo salvó (Filipenses 1:6), lo sacó de su tumba, desató su mortaja y lo transformó con una resurrección como la de Lázaro. Que lo capacite para vivir libre para él de tal manera que el mundo lo note.

Lo amo, querido amigo o amiga. Espero que nos encontremos el día en que veamos a Jesús cara a cara. Hasta entonces, dediquémonos a ser suyos.

Me encantaría saber lo que Dios le ha hablado y la resurrección que está ocurriendo en su vida después de haber elegido obedecer. Aunque no puedo responder personalmente a sus cartas, será un privilegio orar por usted. Puede contactarme a través de Editorial Patmos, info@editorialpatmos.com

Con afecto,
JOANNA